KB012506

회귀 경찰의 리셋 라이프

The Reset Life

회귀 경찰의 리셋 라이프 12

초판 1쇄 발행 2022년 7월 11일

지은이 | 한길
발행인 | 신현호
편집장 | 이호준
편집 | 송영규 최종건 정재웅 양동훈 곽원호 조정범 강준석 최성화
편집디자인 | 한방울
영업 | 김민원

펴낸곳 | ㈜ 디앤씨미디어
등록 | 2002년 4월 25일 제20-260호
주소 | 서울시 구로구 디지털로 26길 111 JnK디지털타워 503호
전화 | 02-333-2513(대표)
팩시밀리 | 02-333-2514
E-mail | papy_dnc@dncmedia.co.kr
블로그 | blog.naver.com/gnpdl7

ISBN 979-11-364-3515-6 04810
ISBN 979-11-364-2581-2 (SET)

Papyrus Modern Fantasy

한길 현대 판타지 장편소설

회귀경찰의 리셋라이프

12

PAPYRUS
파피루스

1장. 입과 혀, 그리고 속담(2)

입과 혀, 그리고 속담(2)

딸랑!

문이 열리는 소리가 들리자 커피를 홀짝이며 고개를 돌렸던 박영일은 얼른 손을 들었다.

"여! 종혁아!"

"이야. 오랜만입니다, 박 부장님."

1997년 일진들 때문에 알게 되어 지금까지 계속 인연을 이어 오는 박영일 기자. 아니, 이제는 사회부 박영일 부장이다.

그땐 검은색으로만 가득했던 그의 머리도 어느새 하얀 새치가 연륜의 멋처럼 자라나고 있었다.

"큭큭. 좌천됐다며? 내가 너 그럴 줄 알았다."

"거 빨대 무자게 꽂아 두셨네."

"본청에 출입하는 후배 기자에게 들은 거야, 짜샤. 그래서?"

웃던 박영일의 표정이 삽시간에 굳는다.

"어떻게 된 거야?"

경찰 이미지 마케팅팀이라는 핵심 부서의 창설 멤버이자, 선장 대리였던 종혁이다.

이제 승승장구만 남았는데 난데없이 지하로 좌천이 됐다.

개인적인 친분을 뒤로하더라도 박영일 본인이 사회부 부장이 되는데 지대한 공언을 한 종혁.

일진 사태부터 시작해 탈옥수 한상원 검거, 최근엔 장애아 특수학교 설립까지 하나하나가 대한민국을 들썩이게 한 특종 소스를 던져 준 종혁이 좌천을 당했는데 당연히 기분이 상할 수밖에 없다.

"여기 아메리카노 한 잔이요. 아, 무슨 일이 있는 게 아니라 저 아직 순환 보직 기간이잖아요."

"야, 아무리 그래도!"

"올림픽 금메달로 국방의 의무를 씹은 것도 모자라 저를 좋게 봐주신 고위 간부님들 덕분에 수사팀이나 마케팅팀에 있었어요."

원래 경찰대학교를 졸업한 간부 후보 생도는 전의경 부중대장으로서 국방의 의무를 다한 다음 2년 6개월 동안 지방서를 돌며 총 3곳의 부서에서 순환 보직 근무를 해야 된다.

종혁은 그걸 씹은 것도 모자라 본청에 픽업됐고, 그 기간 내에 승진까지 했다.

"……어휴, 이 미련한 놈아."

수사를 할 때나 경찰에 도움이 되는 일을 할 땐 그렇게 독하고 영특한 놈이 왜 이럴 때만 순해 빠졌는지 모르겠다.

종혁은 그런 그의 반응에 양심의 가책을 느꼈지만, 모른 척하기로 했다. 박영일 부장에게 말할 수 없는 조직내 사정이거니와 대놓고 이용을 하는 것보다는 이게 나으니 말이다.

"그래서 오늘 만나자고 한 이유가 뭐야?"

종혁은 대답보다 먼저 가져온 가방에서 서류를 꺼내 들었다.

"어제 간편 신고 사이트가 오픈된 거 아시죠?"

"내가 그걸 모를까. 우리도 너희 홍보 쪽 소스를 기다리는 중인데…… 그럼 설마 이게?"

종혁은 고개를 끄덕였다.

"어제 하루 동안 간편 신고 사이트에 접수된 사건이 무려 7천여 건. 그중……."

종혁은 그제야 서류의 제목을 보여 주었다.

"차팔이에게 피해를 당한 사건이 총 397건입니다."

"야, 그거?!"

엉덩이를 들썩인 박영일의 낯빛이 흐려진다.

당장 얼마 전 언론이 이 문제를 가지고 경찰을 후려치지 않았던가. 박영일 부장 본인도 승인을 한 기사라 모를 수가 없다.

"후우. 종혁아, 내가 너 때문에라도 웬만하면 경찰에

대해 안 좋은 기사를 쓰지 않으려고 했는데…….”

“삼촌, 아니 박영일 부장님.”

이번엔 종혁의 표정이 굳는다.

“전 그런 거 바란 적 없어요.”

잘못을 했으면 경찰, 아니 경찰 할아비라도 법의 심판과 언론의 질타를 받아야 한다.

그게 아니면 독재일 뿐이다.

“독재는 박영일 부장님도 겪었잖아요. 때리세요. 그래서 경찰이 올바를 수 있다면 얼마든지 때리세요.”

이런 종혁의 말에 박영일의 얼굴이 일그러졌다.

“하, 너란 놈은 진짜…….”

왜 이렇게 정직한지 모르겠다.

폭주를 하더라도 그 대상이 범죄와 범죄자에 국한된 종혁.

더 미안해진 박영일 부장은 마른세수를 했다.

“하하.”

“정정 기사 쓰마. 미안하다.”

“아뇨. 그런 걸 바라는 게 아니라니까요? 언론에 왜 그랬냐고 푸념하자는 것도 아니고요. 그저 팩트만 알리자는 겁니다.”

“팩트?”

‘뭔가 숨겨져 있다?’

그제야 종혁이 하고자 하는 말을 알아들은 박영일 부장은 자세를 바로 했다.

“총 397건. 이것도 수사가 종결이 난 사건을 제외한 숫자입니다."

억울하다며 성토한 것까지 모두 합하면 500건이 넘는다.

이에 박영일 기자는 눈을 부릅떴다.

"한 종류 범죄가 전체 신고 비율에서 5퍼센트나 차지한다고?"

"피해액은 대략 23억 원 정도고요."

차팔이가 중간에 남겨 먹는 마진을 말하는 게 아니다. 강매에 의해 어쩔 수 없이 사게 된 자동차값까지 포함된 액수다.

"근데 이건 어제 하루에 접수된 사건의 피해액일 뿐이에요. 아마 보름 정도만 지나도 피해액이 백억을 넘을 겁니다.

"미친……."

컴퓨터를 싸게 사고 싶어도 용산엔 가지 마라.

차를 싸게 사고 싶어도 매매 단지에는 가지 마라.

중고차 사기 피해가 크다는 걸 알고는 있었지만, 이렇게까지 클 거라곤 예상 못한 박영일은 담배를 찾았다.

'이건 내 예상을 훨씬 벗어난…….'

특종이다.

그렇지 않아도 왜 차팔이를 옹호하냐는 댓글들이 많았는데, 그걸 뒤집을 만한 특급 소스다.

종혁은 박영일의 표정이 변하자 서류를 톡톡 치며 쐐기를 박았다.

"참고로 사이트에 처음으로 접수된 사건도 바로 이 중

고차 매매 사기입니다. 아니, 협박에 의한 강매죠. 지금 홍보쪽에 부탁해서 스테이한 상황이고요. 아시죠? 뭐든 처음이 가장 주목받는 거."

"그런데 왜…… 아."

박영일은 눈을 질끈 감았다.

지금 종혁은 언론에 기회를 주는 거다. 잘못을 바로잡을 기회를 말이다.

"……후. 좋아. 내가 어떻게 하면 되겠냐? 시간이 길진 않을 거잖아."

원하는 말이 나오자 종혁은 꿈틀거리는 입술을 쓸어내렸다.

"기획으로 가시죠. 방송국까지 껴서."

쿵!

박영일 부장의 눈이 크게 떠졌다.

"PD수첩으로 가자고?"

"일단 오늘 9시 뉴스로 먼저 때리는 게 낫지 않겠어요? 삼촌 말처럼 스테이를 오래할 수 없는 상황이라서요."

"으음……."

시간을 확인한 박영일은 미간을 좁혔다.

'현재 시각이 9시니까…… 편집까지 생각하면…….'

거의 불가능에 가깝긴 하지만 되긴 될 것 같다.

견적을 낸 박영일은 고개를 끄덕였다.

"오케이. 그러자. 각 언론사나 방송국들도 이 피해 사실에 관한 인터뷰 내용을 픽스해 놓은 게 있을 거야."

때를 기다리며 말이다.

'됐어!'

종혁은 주먹을 불끈 쥐었다.

언론에 맞아 인사이동을 당했다. 결국 좋은 일이었다지만 그게 무슨 상관인가.

눈에는 눈, 이에는 이. 선동에는 선동이다.

이게 종혁이 생각한 명분 쌓기였다.

'근데 내낀 좀 더 아플 거야.'

종혁은 입술을 비틀었다.

"아, 참고로 얼마 전에 어떤 미친 경찰이 중고차 매매 단지를 차로 밀어 버렸다는 거 있잖아요? 그거 저예요."

"뭐 인마?! 야, 그럼……!"

"친구가 강매를 당해서요! 사랑합니다!"

속여도 다 속이지 않는다. 그렇다면 정말 기만을 하는 것밖에 안 되니까.

'상호야, 일단 작은 엿 들어간다.'

* * *

우리는 선량한 피해자다?

PD수첩. 백만 원짜리 차가 2백만 원으로 둔갑하는 마법!

상인이 아니라 도둑?

강매로 판 중고차. 중고차 매매 단지는 사기꾼의 집합소!

—얼마 전 경찰의 무자비한 행각에 중고차 상인들이 피해를 입었다는 뉴스를 기억하실 겁니다. 하지만 그게 거짓이었다는 게 드러나면서…….

'때가 됐군.'

박영일 부장을 만난 이후 언론이 중고차팔이를 때리면서 신고 내역이 몇 배나 더 쌓였다.

여기에 언론까지 이렇게 때려 대며 그들을 마녀로 몰아붙이니 명분도 다 쌓였다고 봐야 했다.

삑!

종혁은 고작 며칠 사이에 모던하고 중후하게 변한 사무실의 책상에 앉아 특별수사팀 사무실 한쪽 벽을 가득 채우는 스크린 TV를 뚫어져라 응시하는 형사들을 훑어봤다.

고작 3명밖에 없는 1팀과 다르게 7명씩 꽉꽉 채운 2팀과 3팀.

"2팀장님, 3팀장님. 잠깐 회의 좀 하시죠?"

움찔!

뭔가를 눈치챈 김판호와 윤선빈이 슬그머니 몸을 일으켜 구석의 흡연실로 향했다.

"어떡하실래요."

혹시나는 역시나였다. 순간 그들의 몸이 들썩였다.

종혁은 그런 그들을 보며 낯빛을 굳혔다.

"참고로 하나 말하자면 두 분이 어떤 결정을 하시든 재들은 제가 땁니다. 이 판을 깐 게 저니까요."

흠칫!

"믿든 안 믿든 상관없습니다."

'……아따. 이놈아 능력이 허벌나게 좋다는 소리는 들었지만 이렇게까지 좋아블 줄은 몰랐네잉.'

지난 일주일 동안 언론에 PD수첩까지 중고차 상인들을 때렸다. 지금 중고차 상인들은 거의 도적 수준으로 취급받고 있는 중이었다.

그런데 그게 종혁이 만든 작품이다?

그들은 순간 내달리는 전율에 머리털이 쭈뼛서는 걸 느꼈다.

하지만 그건 지금 생각할 문제가 아니다.

실적이다. 그것도 아주 거대한 실적.

깔끔하게 세팅까지 끝난 그걸 종혁이 나눠 주려는 게 중요했다.

먹음직스럽다. 너무 감사하다.

하지만…….

"……되겠어?"

"그랴. 일이 이 지경이 됐는디 특수랑 광수대에서 가만있겠냐고."

특별수사팀은 이제 신설된 부서다.

초반부터 이런 커다란 걸 상의 없이 삼키려 들다간 미움과 저항을 받게 될 것이다.

"그분들도 갈 건데요?"

"……응?"

종혁은 피식 웃었다.

"특수와 광수대, 전국 경찰, 하물며 중앙 지검까지 다 움직일 겁니다. 저거 저 혼자 다 못 삼켜요."

그 말에 단숨에 상황 파악을 끝낸 2팀장과 3팀장은 입술을 비틀었다.

"허미. 이거 다 차린 밥상에 숟가락만 올려도 될까 모르겄네잉. 우리 1팀장, 아주 리더여. 참된 리더!"

엄지를 치켜세운 2팀장 김판호는 흡연실문을 활짝 열며 크게 외쳤다.

"야들아, 연장 챙겨라! 방금 그 후래질 새끼들 우리가 따야겄다!"

"3팀도 연장 챙겨! 출장이다!"

"우와악!"

순간 뒤집어지는 사무실.

종혁은 뛰쳐나간 2팀장과 3팀장을 따라나서며 담배를 물었다.

그러다 멍해 있는 오택수와 최재수를 보며 고개를 모로 기울였다.

"뭐해요? 안 가요?"

"……옙!"

콰자작!

"이 씨발!"

구긴 신문을 던져 버리다 못해 질근질근 밟았지만, F1 모터스의 신 사장은 분을 주체하지 못했다.

지난 일주일간 언론이 중고차 상인들을 개쓰레기로 만든 것도 모자라 오늘 아침 뉴스에선 정정 보도까지 나갔다.

그렇지 않아도 저번 주부터 급감한 매출이 더 떨어지는 소리가 들리는 듯했다.

그는 다급히 핸드폰을 들었다.

"……왜 이렇게 안 받는 거야!"

핸드폰을 소파에 던져 버린 그는 치미는 짜증을 해소하고나 담배를 물며 사무실을 나섰다.

씨잉 불어온 겨울 찬바람이 뜨겁게 달아오른 그의 머리를 잠시 식혀 주었다.

"큭큭. 신 사장, 신문 보고 나온 거야?"

"지금 누굴 놀리……."

버럭 화를 내려던 신 사장은 김 사장의 발치에 널브러진 담배꽁초들을 보곤 입을 다물었다.

"맞지. 그렇지. 김 사장도 나랑 같은 처지였지. 그 집은 좀 어때?"

"한 달 동안 이러면 저 돼지 새끼 잘라야지. 그 집은?"

"몰라. 내 집 돼지 새끼는 그날 인터뷰를 한 이후로 도망쳤어. 하여튼 이래서 깜빵 다녀온 놈은 쓰면 안 된다니까. 그보다 조 대표는 왜 연락이 안 돼?"

"몰랐어? 조 대표 지금 배 위에 있잖아. 이번엔 아프리카 어디라고 하던데? 아, 지금은 비행기 타고 오는 중이려나?"

"아……."

여러 나라에 중고차를 판매하는 조상호 대표.

'그렇다면 어쩔 수 없군.'

"하아. 근데 이거 우리는 괜찮은 거 맞지?"

경찰이 지금 당장이라도 쳐들어올 분위기다. 지금이라도 잠시 문을 닫아야 하는 게 아닌지 걱정이 되었다.

"조 대표가 그랬잖아. 아는 의원들 있으니까 수사가 들어와도 걱정 말라고. 그리고 우리도 나름 아는 사람들 많잖아."

"그건 그렇지만……."

아무래도 얼마 전 자신의 가게에서 깽판을 친 경찰이 마음에 걸린다.

"거기다 그 경찰 놈, 한직으로 좌천됐다잖아. 그놈이 오길 하겠어, 뭘 하겠어? 걱정하지 마."

"……그렇겠지?"

신 사장은 한숨을 내쉬며 가슴에 맺히는 불안을 쓸어내렸고, 김 사장은 그런 그를 보며 낄낄 웃었다.

"하여튼 우리 중 돈을 제일 많이 버는 사람이 가슴은 새가슴……."

삐용삐용삐용!

"어?"

고개를 돌린 신 사장과 김 사장은 혀를 찼다. 매매 단지 안으로 경찰차 두 대가 들어오고 있었기 때문이다.

"누가 많이 후려쳤나 보네. 몸까지."

"쯧. 좀 적당히 하지."

일상이나 다름없는 일이기에 그들은 신경을 껐다. 그러면 안 됐다는 것도 모른 채 말이다.

그렇게 그들이 외면 속에서 멈춘 경찰차에서 내린 종혁은 확성기를 꺼내 들었다.

삐이이이!

순간 중고차 매매 단지를 꿰뚫는 소음.

얼굴을 찌푸린 종혁은 확성기를 입에 가져갔다.

-아, 아! 모두 자리 잡았죠?

다시 사람들의 이목이 종혁에게 집중된다.

사장도, 차팔이도, 손님도.

그런 그들을 보며 종혁은 씩 웃었다.

-그럼 시작합시다!

뜻 모를 말에 차팔이들이 고개를 모로 기울였다.

그 순간.

"야들아, 시작하랍신다-!"

"예-!"

중고차 매매 단지를 우렁차게 울리는 대답들.

"어, 손님. 지금 뭐……."

"뭐하겠냐! 으랏차!"

"이야압!"

뻐억! 빠아악!

손님이 갑자기 응대를 하던 직원의 얼굴에 주먹을 꽂아 넣고, 얻어맞은 직원은 나가떨어진다.

한 곳이 아니라 여러 곳에서 동시 다발적으로.

"쿠엑!"

"으악!"

당황한 차팔이들이 소심한 반항을 하며 물러선다.

"뭐, 뭐야! 왜 이러세요!"

"뭐긴 뭐야, 짭새지."

"짜, 짭새? 이 씨발……!"

오싹!

'장부!'

순간 파악을 마친 사장들은 이를 악물었다.

웬만해선 카드 거래를 하지 않는 그들이다.

현금 거래 내역이 담긴 장부와 이중장부. 그걸 걸리면 인생 종 치는 수준으로 끝나지 않는다.

"마, 막아! 그놈들 막아-!"

그렇게 외친 그들은 다급히 사무실로 뛰어 들어갔다.

그들뿐만 아니라 갑작스런 소란에 가게 밖으로 고개를 내밀었던 다른 업체 사장들도 말이다.

그에 당황하던 직원들도 이를 악물며 반격을 시작한다.

"우와아아아아……!"

"씨발! 제껴-!"

혼란과 당황에 휩싸여 있던 중고차 매매 단지가 시끄러워진다.

"씨발. 씨발!"

다급히 사무실 이곳저곳에 숨겨 둔 장부를 찾아 든 신 사장은 슬그머니 바깥을 향해 발을 뗐다.

그때였다.

콰장창!

"흐억?!"

유리로 된 벽을 부수며 사무실을 덮친 옆집 김 사장네 직원.

"아이고, 우리 사장님 착하시네. 그렇게 장부까지 다 모아 두시고. 우리 주려고 따로 챙기신 거죠? 에휴, 이러면 영장을 안 받을 걸 그랬나 봐요."

신 사장은 까득까득 유리 파편을 밟으며 들어오는 종혁을 멍하니 바라봤고, 종혁은 그를 향해 씩 웃으며 거수경례를 했다.

"안녕하십니까. 전에 전화한 그 경찰 놈입니다."

"아……."

신 사장은 망연자실 주저앉았고, 종혁은 입술을 비틀었다.

'상호야, 엿 들어갔다. 맛있니?'

이들 중고차 상인들에게서 폐차 직전의 차를 구매한 후 해외에 되파는 조상호 대표.

그런데 그 폐차 직전의 차들을 구할 길이 없으면 어떻게 될까.

이게 종혁이 생각한 일석이조의 방법이었다.

중고차 상인들을 응징하면서 조상호도 엿을 먹이는 일석이조의 방법.

'조상호랑 계약을 맺은 업체가 또 어디더라?'

린치가 넘겨준 자료를 떠올린 종혁은 키득키득 웃었다.

* * *

기이잉!

비행기가 뜨고 내리는 인천공항.

캐리어를 끌며 입국 게이트를 넘은 조상호가 비서를 발견하자 캐리어를 그대로 밀어 버리며 바깥을 향해 걸음을 옮긴다.

비서는 익숙하다는 듯 능숙히 캐리어를 챙겨 들며 조상호를 따라붙었다.

"나 없는 동안 한국에 무슨 일 없었지?"

"이젠 직원들에게 맡겨도 되실 텐데 말입니다."

한 해 발생하는 매출이 얼마고, 직원이 몇 명인가.

"흥. 그놈들을 어떻게 믿고?"

1997년 IMF 때 잘하던 사업이 망한 후 정말 불알 두 쪽만 가지고 시작해 각국을 누비며 여기까지 키운 회사다.

이렇게 규모가 커진 것도 3년이 채 안 됐다.

그런데 한 번 거래를 할 때마다 수십억이 왔다 갔다 하는 일을 안 지 몇 년 안 된 직원들에게 맡겨 노하우와 인맥을 나눠 준다?

아직은 어림도 없는 말이다.

그놈들은 그냥 폐차 직전의 차들만 모아 오거나 그리 중요하지 않는 폐차 중고차 업체 사장들의 술상무로 충분했다.

'안 그래도 이놈들 숫자도 줄이긴 해야 되는데…….'

하는 일도 없이 월급만 축내는 월급 도둑들.

매입에서 판매까지 모든 시스템을 완성시켜 놔서 그런지 그들에게 주는 월급이 아까워 죽겠다.

"그래서?"

"음. 사건이 좀 있긴 했습니다."

"뭔데?"

"언론에서……."

이어진 비서의 말에 조상호는 코웃음을 쳤다.

"짭새 놈들이 꽤 아팠나 보군."

하지만 괜찮다.

그동안 수없이 중고차 매매 사기가 발생했음에도 경찰이 나서지 않은 이유가 뭐던가. 수사를 한다고 해도 대충한 이유가 뭐던가.

피해 액수가 하찮기 때문이다.

50만 원, 100만 원.

거기에 그쪽 사람들 성격들이 좀 드세고, 업체들의 사이가 좀 끈끈한가? 거의 카르텔 수준이다.

어쩌다 압수 수색을 하려고 해도 격렬한 저항에 부딪치니 경찰도 쉬이 나설 수가 없다.

여기에 중고차 업체 사장들도 자신들이 불법을 저지르는 걸 아는지 저마다 나름의 인맥들을 가지고 있다.

경찰은 결코 쉽게 그들을 건드리지 못한다.

'또 내가 안전장치도 하고 갔고.'

조상호 본인의 인맥인 구의원과 시의원, 신문사 기자들.

경찰은 절대 그들을 건드릴 수가 없다.

하지만 조상호는 몰랐다. 그런 걸 모두 씹어 버리고 무시하는 미친놈이 하나 있다는 걸 말이다.

"하지만 분위기가 꽤 심각합니다. 중고차 업체 사장들을 한 덩어리로 묶어 피해 사실을 부풀리고 있습니다."

"아, 괜찮다니까! 내가 괜찮다면 괜찮은 거야!"

"……예."

큰소리를 낸 것 때문인지 시선이 집중되자 조상호는 걷는 속도를 높였다.

"쯧. 그 외에는?"

"그 외에 별다른 일은 없었습니다."

고개를 끄덕인 그는 다시 혀를 찼다.

'이거 회사에 도착하자마자 전화를 쫙 돌려야겠군.'

자신이 없는 동안 중고차 업체 사장들이 얼마나 불안에 떨었겠는가.

솔직히 귀찮지만 한 번 움직여 준 걸로 막대한 차익을 냈으니 서비스적인 의미로 다독여 줄 필요가 있었다.

어차피 말을 한다고 돈이 나가는 것도 아니니 말이다.

차에 오른 그는 신발과 양말을 벗으며 축 늘어졌다.

"출발해. 라디오 좀 켜고."

"예."

부우웅.

그를 태운 차가 인천 공항을 벗어나기 시작했다.

―플라잉 투 더 문. 치익!

오랜 비행 때문에 피곤했는지 라디오에서 흘러나오는 팝송에 눈이 스르르 감기던 조상호는 노이즈가 끼자 미간을 좁히며 운전대를 잡은 비서에게 이를 드러냈다.

"거 주파수 하나 똑바로 못……."

―긴급 속보입니다. 경찰이 전국적으로 대규모 검거를 시작한 가운데, 중고차 매매 상인들의 사기와 탈세 행각이 드러나면서…….

움찔!

순간 그의 눈이 번쩍 뜨이며 라디오를 노려본다.

하지만 라디오에서 흘러나오는 긴급 속보의 내용은 달라지지 않았다.

'겨, 경찰이 전국적으로 검거를 시작했다고? 중고차 상인들이 싹 쓸렸다고?'

"이, 이건 또 무슨 개소리야!"

괜찮다고 괜찮은 게 아니었다.

새된 비명 소리가 차 안을 가득 울렸다.

* * *

"야, 이 씨발 새끼들아! 이거 풀어! 안 풀어?!"

"너희 내가 누군지 알아?! 내가 전화만 하면……!"

"조용히 안 해!"

목소리를 높이는 범죄자들로 인해 시끄러운 특별수사팀.

뜨거운 김이 올라오는 커피잔을 손에 든 채 유치장 철창을 잡고 흔드는 사람을 일견한 종혁은 흐뭇이 웃었다.

"그래, 이거지."

이게 형사가 보는 풍경이다. 이제야 고향에 돌아온 것 같았다.

'하, 몇 달 안 됐는데 마치 몇 년이라도 된 것 같네.'

눈빛이 아련해진 종혁은 다른 손에 쥐고 있는 종이컵을 신 사장 앞에 내려놓으며 자리에 앉았다.

"자, 마시면서 합시다. 성함이?"

"……."

"어휴. 거기 앉으면 꼭 그러더라. 야, 이 새끼야. 내가 지금 부탁하는 걸로 보이냐?"

"흡?! 이 어린놈의 자식이……!"

퍼억! 쿠당탕!

"으악!"

신 사장의 배를 발로 까 버린 종혁은 바닥에 널브러진 그의 머리채를 잡아 다시 일으켜 의자에 앉혔다.

그에 신 사장이 아프다고 비명을 질렀지만 종혁이 신경 쓸 일은 아니었다.

종혁은 배를 붙잡고 끙끙거리는 그를 보며 혀를 찼다.

"그러게 왜 나를 나쁜 사람으로 만들어요. 우리 좋게좋게 합시다. 이름?"

"씨, 씨발! 경찰이 이렇게 사람을 쳐도 돼?! 변호사 불러-!"

순간 조용해지는 특별수사팀.

모두의 시선이 종혁과 신 사장에게 모인다.

최재수는 슬그머니 몸을 일으켜 종혁의 곁으로 다가갔다. 하지만 종혁은 그저 가소롭게 웃을 뿐이었다.

"아, 그래. 변호사……. 그래요. 당신 같은 범죄자 새끼도 변호사를 부를 수 있죠. 자요. 아는 변호사 불러요."

"뭐?"

"부르라니까? 왜? 아는 변호사 없으면 내가 아는 변호사라도 소개시켜 줘?"

"이, 이……."

종혁이 이렇게 순순히 변호사 요청을 받아들일지 몰라서 당황했던 신 사장은 이내 악독한 눈빛을 지으며 종혁이 넘겨준 전화기를 잡았다.

그런 그의 모습에 종혁은 느긋이 의자를 젖히며 입을 열었다.

"전화하면서 들어요. 난 당신이 변호사를 부른 그 순간부터 당신 장부에 적혀 있는 모든 피해자들을 만날 거예요."

흠칫!

"내가 한 사람, 한 사람 도와서 다 민사 소송을 진행시킬 거야. 그게 줄줄이 비엔나소시지처럼 이어지면 어떻게 될까?"

아마 지금까지 대부분의 피해자들은 변호사 선임 비용이 피해액만큼 발생한다는 사실이 부담스러워서 소송을 진행할 생각조차 하지 못했을 터.

하지만 종혁이 이를 도와준다면 이야기가 달라진다.

수십, 아니 수백 명의 피해자가 한꺼번에 민사 소송을 진행시킨다면 그가 손해배상을 해야 될 액수는 그야말로 천문학적인 금액이 될 것이 분명했다.

'흡?!'

종혁의 눈빛에서 그가 진짜 그것을 실행시킬 만한 인간이라는 것을 느낀 신 사장은 순간 자신이 발등을 찍었구나 절망했다.

어느새 조용해진 특별수사팀.

-여보세요? 신 사장님?

"뭐해요? 변호사랑 통화 안 해요?"

……달칵.

신 사장은 조용히 수화기를 내려놓았고, 종혁은 씩 웃으며 젖혔던 상체를 원래대로 했다.

"그럼 시작해 봅시다. 성함이?"

"……신백호입니다."

"연세가?"

그렇게 신 사장을 시작으로 모든 범죄자들이 고분고분 자백을 하였다.

"캬. 우리 1팀장 입 터는 솜씨가 아주 예술이구마잉."

형사가 질문을 하면 범죄자가 순순히 답하고 있다. 심지어 유치장을 꽉 채운 놈들은 조용히 자기 차례를 기다린다.

눈으로 보고 있는데도 믿기지 않는 광경이었다.

"그런데 장부를 살펴보니 웬 이상한 곳이 나오던데……."

3팀이 담당하는 사장들이 보유한 차들 중 매달 일정 숫자가 한 기업으로 흘러간 정황이 발견됐다.

일견 정당한 거래 같지만, 3팀장은 리베이트 혹은 새로운 탈세의 창구가 아닐까 하는 의혹이 생겼다. 그래서 뇌물 장부보다 이게 더 관심이 갔다.

그런 3팀장 윤선빈의 말에 2팀장 김판호도 눈매를 좁혔다.

"대상 렌트카? 조상호?"

"어?"

화들짝 놀란 둘은 종혁을 봤고, 종혁은 묘한 표정으로 고개를 끄덕였다.

린치가 준 자료에서 적혀 있던 정황 중 하나, 리베이트.

"오메, 씨부럴?"

현재 이곳 특별수사팀에 잡혀 온 사장들의 숫자는 총 15명이다.

여기에 종혁의 요청으로 전국에서 50여 명의 사장들을 더 보내 주기로 했다. 매달 천여 대가 훌쩍 넘는 차량이 대상 렌트카로 흘러 들어간단 소리였다.

중고차라 가격을 싸게 잡는다고 해도 십수억.

"대상 렌트카. 해외 못사는 나라들에 똥차에 가까운 차량이나 중고 부품, 고철을 수출하는 기업입니다."

똥차에 가깝지만 90년대 만들어진 우리나라 차들은 내구성이 좋아서 잘만 관리하면 십 년은 더 너끈히 탈 수 있다. 또 대상 렌트카는 그런 중고 부품들로 차를 재탄생시켜 판매하기도 한다.

"그걸 1팀장이 어떻게……."

"이번 사태의 원흉이 그놈이니까요."

김판호와 윤선빈은 눈을 크게 떴다.

"그러니까 언론을 충동질해 경찰을 때려서 1팀장과 우리를 여기로 오게 만든…… 자, 잠깐? 그럼 그 말은?"

종혁은 숨길 것이 없다는 듯 고개를 끄덕였다.

어차피 이들이 냄새를 맡은 이상 조사를 시작하면 다 알게 될 사실이다.

"그, 그랑께 그놈을 딸라고 이 판을 깔았다고? 워메, 이 잡것……."

상상 이상으로 미친놈이다. 그들은 종혁의 거대한 광기와 행동력에 공포마저 느낄 수밖에 없었다.

'주도권을 잡았군.'

계급이나 나이 모든 게 낮은 종혁이다.

만만치 않다는 걸 보여 줄 필요가 있었는데, 이번 기회를 빌어 그렇게 된 것 같아서 다행히 아닐 수 없었다.

"지금부터는 제 개인적인 복수입니다. 빠지실 분은 빠지셔도 됩니다. 다만 함께하시면 꽤 휘둘리실 거예요."

대상 렌트카의 사업 아이템인 중고차나 중고 부품, 고철은 모두 저들 사장과 거래한 중고차들에서 나온다.

그 거래선을 모두 잘라 버렸다.

이제 본격적으로 움직일 시간이었다.

종혁의 몸에서 싸늘한 냉기가 흘러나오자 표정을 굳혔던 그들은 이내 피식 웃었다.

"아따, 뭔 말을 그렇게 섭하게 한데. 우덜이 만난 지 며칠밖에 안 됐어도 그동안 봐 온 정이 있제."

"이런 잔칫상까지 차려 줬는데도 입을 닦으면 개새끼지. 뭘 도와주면 될까?"

"2팀장님, 3팀장님……."

순간 종혁은 자신이 참 운이 좋다고 생각했다. 이런 사람들과 계속 만날 수 있다는 건 정말 천운이 아니고선 불가능한 일이었으니 말이다.

하지만 아직 그에게 다가온 운은 끝나지 않았다.

"우리도 뭘 도와주면 되겠냐?"

고개를 돌린 종혁은 눈을 부릅뜨며 얼른 거수경례를 했다.

"충성! 특수와 광수대 대장님이세요."

"추, 충성!"

김종두 과장과 광수대의 손원호 대장이었다.

"어쩐 일이세요?"

"어떤 씹새끼가 변호사들을 보내서."

"광수대도 3명 왔다. 그래서 개판 5분 전이야."

그런데 그 씹새끼가 아무래도 종혁이 말하는 조상호인 것 같다.

'발악을 하는군.'

아무래도 조상호는 새로운 거래처를 알아보는 것보다 사장들을 빼내기로 한 것 같다. 확실히 그 편이 좋기는 하다.

장부가 모두 확보되지만 않았다면 말이다.

견적을 낸 종혁은 난처한 듯 머리를 긁었다.

“끄응. 그러지 않으셔도 되는데…….”

“야, 최종혁. 내숭 떨지 말고 원래대로 해, 인마.”

……씨익!

“흐흐.”

“짜식이 신삭에 그럴 것이지.”

“오! 우리 광수대도 드디어 종혁이 너의 돈맛을 보는 거냐?”

“삼시 세끼 스테이크를 드셔도 되니까 영수증만 보내주십쇼! 아, 2팀과 3팀도요. 앞으로 수사비는 모두 제가 책임집니다.”

“……워메 씨벌. 형.”

돈 많은 놈이 형이다.

그렇게 으쌰으쌰한 그들은 흉흉한 미소를 지으며 자리로 복귀했고, 종혁은 화장실 가는 척 사무실을 빠져나오며 고개를 저었다.

“그러게 왜 경찰을 건드리니.”

물론 종혁만 건드렸어도 크게 달라지진 않았을 테지만, 이렇게 형사들이 자발적으로 나서진 않았을 것이다.

불쌍하다며 혀를 찬 종혁은 핸드폰을 들었다.

“나예요, 권 이사.”

형사들이 조상호의 비리를 물고 늘어지면 종혁 본인은 그의 명줄을 잘라 버린다.

냉혹한 비즈니스 세계의 방식으로 말이다.

* * *

"그걸 알아보라고 월급을 주는 거잖아! 어떻게든 맞춰! 알았어?! 끊어!"

거칠게 전화를 끊은 조상호는 이를 갈았다.

발등에 불이 떨어졌다.

중고차를 공급해 줘야 할 거래처 사장들이 모두 경찰에 잡혀 들어가면서 매입이 뚝 끊겨 버린 것이다.

이러다간 당장 한 달 후에 있는 거래 물량조차 맞추지 못할지도 모른다. 새 거래처를 뚫자니 그마저도 시간 안에 물량을 맞출 거란 보장도 없는 상황.

어떻게든 거래처 사장들을 빼내야 하는데 그게 쉽지가 않았다.

"빌어먹을. 그러게 왜 장부를 사무실에 둬서!"

탈세한 내역이 적힌 장부와 뇌물 장부.

변호사 할애비를 써도 못 빼내는 상황이었다. 괜히 변호사 수임료만 나갔다.

멍청한 사장들을 향해 욕설을 퍼부은 조상호는 커다란 한옥 요정의 대문 안으로 들어갔다.

그러자 입구에 대기하고 있던 한복을 입은 사십대의 여성이 공손히 인사를 한다.

"어서 오십시오, 조 대표님."

"손님은?"
"먼저 와 계십니다."
"이런. 얼른 안내해 줘."
그렇게 안내된 방 앞에 선 조상호는 한숨을 길게 내쉬며 생각을 정리했다.
'이래저래 다 막힌 상황이야.'
그렇다면 남은 방법은 하나다.
다시 여론을 들끓게 하는 것.
'경찰이 선량한 사람들을 잡아들였다는 게 아니라, 경찰의 무분별한 검거로 인해 서민들이 중고차를 사기 힘들어졌다는 여론을 형성한다면?'
충분히 가능성이 있다.
마침 현 정부도 서민 친화적이지 않던가. 아마 이런 여론이 형성되면 청와대도 지금처럼 묵인하지 못할 것이다.
"안으로 고할까요?"
"그렇게 해."
똑똑!
"조상호 대표님께서 오셨습니다."
스륵.
문이 열리며 각자 옆구리에 어린 여자들을 꿰차고 있는 늙은이들이 보인다.
그가 가진 인맥 중 가장 힘 있는 우군들.
시의원들, 그리고 지금도 대한민국 3대 언론이라 불리는 3대의 신문사 중 한 곳.

"아이고, 제가 좀 늦었습니다!"

주상호는 겸연쩍은 미소를 지으며 방 안으로 들어섰다.

한편 요정에서 그리 멀리 떨어지지 않은 곳에 위치한 어느 한정식집.

"서프라이즈? 내가 좀 늦었나요?"

"빌어먹을."

먼저 와서 권아영의 옆에 마치 비서처럼 서 있던 종혁은 문을 열고 나타나는 나탈리아와 린치의 모습에 눈을 껌뻑이다 권아영을 쳐다봤다.

"전 분명히 중고차 매매와 무역에 빠삭한 사람을 모아 달라고 부탁했을 텐데요?"

"저도 그러려고 했어요."

그런데 저들이 먼저 연락을 해 왔다. 바이 차이나 프로젝트를 위해 함께 연계하고 있는 러시아와 미국의 정보국이.

거부할 수가 없었다.

"미안해요, 최. 우리에게도 너무 좋은 기회라서 말이죠. 뭐 깜짝 선물인 의미도 있고요. 그래서 말하지 말아 달라고 부탁했어요."

'그래서…….'

오늘 권아영이 뜬금없이 미안하단 문자를 보내기에 잘못 보냈나 생각했던 종혁. 그게 이 때문일 줄은 꿈에도 생각 못했다.

나탈리아가 어떻게 알았냐는 건 의미가 없었다. 그녀라면 종혁의 스타일을 모를 리 없을 테니 말이다.

"그런데 좋은 기회요? ……아, 설마?"

나탈리아는 나른하게 웃으며 고개를 끄덕였다.

"네. 아프리카와 여러 개발도상국에……."

"아무런 의심 없이 요원을 심을 수 있는 기회."

"정답. 그럼 이제 앉아도 될까요?"

종혁은 얼굴을 쓸어내렸다.

"귀띔이라도 해 주지."

"말했잖아요. 서프라이즈라고. 어머, 혹시 많이 놀랐나요?"

"……린치, 넌 나가."

"Fuck! 나도 말하려고 했어. 하지만 이 여자가!"

"내가요? 지금 여자에게 죄를 덮어씌우는 건가요?"

"개씨발!"

"풉!"

대체 언제 한국 욕을 배웠기에 저렇게 자연스러운 걸까.

어벙하게 린치를 쳐다보던 종혁은 이내 고개를 저었다.

'그래도 뭐 나쁘지 않군.'

아니, 차라리 잘됐다.

지금부터 벌일 일에서 가장 중요한 게 뭐던가.

바로 빠른 행동력과 거래처 형성이다. 그런 의미를 놓고 봤을 때 이들보다 더 좋은 인재는 없다고 봐야 했다.

전 세계에 영향을 끼치는 러시아와 미국.

비즈니스 파트너로선 최고였다.

"일단 앉으세요."

종혁은 권아영이 비켜난 자리에 앉았고, 그렇게 그들이 모두 자리에 앉으니 음식들이 나오기 시작했다.

아는 사람들이라서 배부터 채운 그들은 후식이 나오고 나서야 본격적인 이야기를 시작했다.

"권 이사?"

권아영은 종혁이 들고 있던 서류 가방에서 서류를 꺼내어 둘에게 나눠 주며 입을 열었다.

"두 분께서도 예상하셨다시피 저희 권&박에선 대규모 중고차 매매 상인들의 검거로 인해 커다란 공백이 생긴 중고차 시장에 진입해 물량을 모두 받아 내려고 했어요."

조상호와 거래한 65개의 매매 상사뿐만이 아니다.

수백 명의 검거로 인해 생긴 공백을 돈으로 후려쳐 단숨에 국내 중고차 시장의 제일 큰손이 되려고 했다.

권&박 홀딩스가 드러나지 않도록 몇 개의 회사와 몇 명의 대표를 따로 세워서 말이다.

권&박 홀딩스는 어디까지나 투자자 역할.

후에 이들이 투자금을 모두 갚고 이별을 해도 그러려니 하려고 했다. 어차피 종혁의 목적은 조상호 한 명이었으니까.

그런데 SVR과 CIA가 이 판에 끼어들었다.

이러면 판을 새로 짤 수밖에 없었다.

그중 가장 베스트는 외국계 기업의 진출이다.

"다만 대표는 무조건 한국인이어야 해요."

그래야 외국계 자본의 침범이라고, 외국 자본이 국내 중고차 시장을 잡아먹는다는 말이 안 나온다.

"이민도 해야 되고요."

종혁은 다시 설계를 시작하는 권아영의 모습에 입을 다물었다.

아이디어와 재료는 종혁이 제공했지만, 사업에 대한 설계를 짠 건 그녀다. 당연히 믿고 맡겨야 했다.

그런 종혁과 같은 생각인 듯 나탈리아와 린치는 권아영에게 집중하기 시작했다.

"후후. 그 부분은 걱정 마세요. 러시아엔 고려인이 많답니다."

"흥! 몇 세대 전의 사람들보다 당장 몇 년 전에 이민 온 한국인이 낫지 않겠어?"

"호오? 말대꾸?"

"내가 당신 부하던가?"

갑자기 날을 세우는 둘을 모습에 권아영은 손을 저었다.

"그건 두 분이서 알아서 정하시고, 그보다 선결되어야 할 게 있어요. 선한 딜러를 최대한 확보하는 것."

이 프로젝트에 쏟아부을 수 있는 자금은 무한대에 가까우니 물량은 딜러를 확보하면 알아서 따라온다.

"그거야 이해했지만, 선한 딜러?"

린치의 말에 권아영은 종혁을 가리켰다.

"여기 우리 보스가 그걸 원할 테니까요."

대한민국 국민들이 바가지 쓸 걱정을 하지 않고 중고차

를 살 수 있는 곳. 그러기 위해선 차량을 판매하는 딜러가, 아니 전 직원이 선해야 된다.

종혁은 몰리는 시선에 씩 웃었다.

“빙고. 역시 권 이사는 날 잘 알아요.”

“함께한 세월이 얼마인데 그걸 모를까요.”

코웃음을 친 그녀는 나탈리아와 린치를 보며 검지를 들어 올렸다.

“박리다매. 그게 우리가 세울 기업의 모토예요.”

“……아, 그래서 외국계 기업의 진출을? Fuck!”

권아영은 린치를 보며 고개를 끄덕였다.

자금이 빵빵해 든든한 모기업이 있다면 대한민국 국민들은 더 안심을 하고 중고차를 구매 할 수 있을 터.

이른바 신뢰다.

그런 권아영의 말에 나탈리아와 린치의 표정이 묘해진다.

“미스 권…….”

“한 마디만 더 하면 이 판에서 빼 버린다, 린치. 그렇다고 나탈리아에게도 안 줄 겁니다. 그렇게 쳐다봐도 안 되는 건 안 되는 겁니다. 제 거예요.”

“……쯧.”

“최는 너무 욕심쟁이에요.”

‘지금 CIA와 SVR이 나를 욕심낸 거야?’

뭔가 얼떨떨하지만, 그보단 종혁의 발언이 더 기쁜 그녀는 활기차게 입을 열었다.

“그렇게 중고차 시장을 장악함과 동시에…….”

"해외 시장도 장악한다."

"정확히는 거기서도 박리다매로 대상 렌터카의 거래처를 뺏는다란다, CIA의 애송이."

"린치다!"

"어머, 본명이었어?"

"이 빌어먹을 할망구가!"

짝짝! 다시 분위기가 험악해지자 손뼉을 친 권아영은 허리를 꼿꼿이 세우며 둘을 응시했다.

"여기까지가 지금 제가 말할 수 있는 전부예요. 질문 있으시나요?"

질문이 있을 리가.

급조한 계획임에도 빈틈이 없다.

나탈리아와 린치의 머릿속에 다시 인재에 대한 욕심이 고개를 쳐들었다.

"지분은?"

"투자 비용에 따라."

"……Fuck."

"호호."

지부장인 나탈리아와 일개 팀장인 린치.

동원할 수 있는 자금력에 차이가 날 수밖에 없었다.

"좋아. 그 대신 기업과 대표와 언론은 우리 CIA가 담당하지. 한국은 러시아보다 미국을 더 사랑하니까."

"……쯧. 딜러와 직원은 내가 소집하죠."

"그럼 저희 권&박 홀딩스는 비용의 50퍼센트를 담당하겠습니다. 그럼 딜?"

"딜."

"딜."

종혁은 순식간에 끝나버린 거래에 박수를 칠 수밖에 없었다.

'이러면 조상호에게 좀 미안해지는데…….'

어디 조상호 따위가 SVR과 CIA에 비교할 수 있을까.

무한대 자금에 든든한 조력자가 붙으며 시간마저 단축된 상황이다. 이제 조상호가 살아날 길은 없다고 봐야 했다.

'야, 미안한데 이건 삼킬 수 없는 엿이겠다.'

종혁은 범죄자에게 측은지심을 가지는 아주 희한한 경험을 하게 됐다.

* * *

"왜 물량이 안 맞춰지는 건데!"

당장 며칠 후 아프가니스탄으로 출발해야 할 중고차가 무려 2천 대다. 그중 1톤 트럭과 SUV만 1600대.

그런데 70퍼센트만 겨우 채운 상황이다. 이후는 말할 것도 없다.

그런 조상호의 분노에 사십대 후반의 장년인은 쩔쩔맬 수밖에 없었다.

"그, 그게 사장들이 그 가격엔……."

그동안 악성 재고를 처리해 준다는 명목으로 폐차에 가

깝지만 약간만 손을 보면 더 값을 받을 수 있는 중고차들, 정비를 하는 데 돈이 더 들 수도 있는 중고차들을 폐차값에서 약간의 가격을 더 얹어 매입하고 그 대금의 일부를 리베이트받았던 대상 렌트카.

이건 냄새를 맡은 게 분명했다.

중고차 시장에서 제법 콧방귀를 뀌던 중고차 매매 상사의 사장들이 싹 다 잡혀 들어가면서 대상 렌트카가 똥줄을 타게 됐다는 걸 말이다.

그런 냄새를 맡은 건지 중고차 매매 상인들은 그 가격엔 못 팔겠다며 만나 주지도 않는 상태였다.

얼굴을 구긴 조상호는 잡히는 걸 던져 버렸다.

빠악!

“악!”

“이 병신이! 그게 말이 돼?! 걔들이 너 같은 병신이야? 어?!”

악성 재고가 왜 악성 재고겠는가.

팔리지 않고 공간만 차지하다 못해 관리 비용까지 발생하니 악성 재고인거다.

가지고 있으면 무조건 손해.

그런데 팔지를 않는다?

아무리 이쪽의 사정을 알게 됐다고 해도 할 수 없는 짓이다.

그러다 다른 놈이 팔아 버리면 닭 쫓던 개 지붕 쳐다보는 꼴이 되기에 최소한 몇 만 원 더 달라는 말이라도 했어야 한다.

"하, 하지만 그것 말고는……."

"그걸 알아보라고 월급을 주는 거잖아, 이 버러지 새끼야!"

"죄, 죄송합니다!"

"얼른 나가서 물량 맞춰 와!"

"예, 예!"

후다닥 쿵!

"저 병신……!"

조상호는 타는 가슴에 담배를 물었다.

"말이 안 돼. 이건 분명 뭐가 있는 거야."

현재 언론이 경찰의 대규모 검거에 서민들의 중고차 매매가 어려워졌다며 비판하는 상황이다.

그에 국민들은 노리고 있었던 차가 팔려 버릴까 중고차 시장으로 몰려들었고, 졸지에 대박을 맞은 중고차 상인들의 입가엔 미소가 가득했다.

그런 그들이라면 이 기회를 빌어 악성 재고조차 모두 정리하려고 할 텐데, 이번 대규모 검거의 시초가 간편 신고 사이트에 접수된 사건들 때문임을 알고 있는 중고차 상인들에게 있어 대상 렌트카는 아주 좋은 거래 상대였다.

자칫 악성 재고를 고객에게 팔려고 했다가 또 신고가 들어갈 수도 있고, 그래도 폐차장보다는 값을 더 쳐주니까.

조상호는 여기까지 내다보고 여론전을 했던 것이다.

그런데 먼저 접촉했던 중고차 상인들까지 등을 돌렸다. 이건 정말 뭐가 있는 거다.

"대체 뭐지? 뭐가 있는 거지?"

'이건 마치 전국 중고차 상인들이 담합이라도 한 듯…….'

조상호는 고개를 저었다.

대한민국 중고차 시장 규모가 얼마던가.

그건 말이 안 된다.

"설마 해외에서 조립을 한 게 들킨 건가?"

부품을 해외로 가져가 비밀리에 조립해 완성차로 판매하기도 하는 조상호 대표.

"아니야. 그놈들이 그걸 어떻게 알겠어!"

혹여 안다고 해도 의미가 없다.

어차피 한국에서도 그렇게 차를 수리해 보내니까.

"아니면 내가 차 안에 부품을 더 붙여 가지고 나가서…… 이것도 아니잖아!"

아무리 생각해도 답이 나오질 않아 그동안 본인이 저지른 범행들을 모두 떠올리던 그는 결국 폭발하고 말았다.

"대체 뭔데! 뭐냐고!"

쿵쿵쿵!

"들어가겠습니다!"

방금 전 얻어맞고 나간 장년인이 사색이 된 채로 들어와 TV를 켠다.

"너 지금 뭐하는……."

–미 중고차 시장의 거물, 드래곤 모터스의 서대용 회장이 국내에 진출, 귀화의 뜻을 밝히면서…….

안 그래도 폭발한 분노에 재떨이를 잡았던 조상호는 입을 떡 벌리고 말았다.

"이거였구나!"

이거였다. 중고차 매매 상인들이 악성 재고를 끌어안고 있었던 이유가.

조상호는 얼굴이 하얗게 질린 채 다급히 핸드폰을 꺼내 들었다.

막아야 한다. 어떻게든 막아야 한다.

그때였다.

"뭐야!"

"당신들 뭐야!"

"막아!"

갑자기 시끄러워지기 시작한 대상 렌트카.

섬뜩!

순간 불길함이 들어 몸을 일으켰던 조상호는 어느새 사무실 문 앞에 선 정장 입은 사내들의 모습에 그대로 굳어 버렸다.

쿵쿵쿵!

"경찰에서 나왔습니다. 조상호 대표님 맞으시죠?"

종혁이 씩 웃으며 물었다.

한편 사흘 전 중앙지검 강철선 부장검사의 사무실.

호록!

마주 앉은 종혁과 강철선이 커피를 홀짝인다.

종혁이 가져온 20cm 두께의 두꺼운 종이 뭉치를 살피던 강철선 검사는 한숨을 탁 내쉬었다.

"종혁아."

"왜요? 부족하세요?"

"……미안테이."

얼마 전 경찰에 의해 중고차 상인들이 대규모로 검거되면서 튀어나온 이름 대상 렌트카.

당연히 수사에 들어가야 하는데 증거가 불확실했다.

쉽게 설명하자면 전국 각지에서 모인 10대의 차량이 대상 렌트카로 들어갔는데, 배에 선적되는 건 고작 8대뿐이다.

누가 봐도 탈세의 정황이다.

조상호 대표가 여러 인물들과 만난 사진이 찍혔다.

누가 봐도 뇌물의 정황이다.

하지만 거기까지다. 제대로 된 물증이 없다.

있다면 중고차 매매 상인들이 대상 렌트카로 차량을 넘긴 서류와 대상 렌트카의 명의로 선적이 된 화물에 대한 신고의 내역에 차이가 있는 정도인데, 문제는 대상 렌트카를 비호하는 세력이 있다는 점이다.

"그놈아들만 아이라면 이것만 가꼬도 충분히 영장이 나올 테지만……."

거기다 조상호는 우리나라의 기술력을 알렸다는 걸로 산업 훈장까지 받은 수출 역꾼이다.

한 해 수출량만 약 4만여 대.

대기업들이 진출하지 않은 시장을 파고들어 자리 잡음으로써 '대기업을 제외한 중고 수출 1위 기업'이라는 타이

틀을 거머쥐었다.

부족한 증거로 걸고넘어지면 놈을 비호하는 이들에 의해 골치가 아파질 수 있었다.

"후, 내가 뭔 말하는지 알제?"

"증거를 더 갖추지 않으면 역풍이 분다는 거겠죠…… 쯧."

"나도 화가나지만 우야겠노."

1위를 건드린다는 건 그런 것이다.

거기다 놈을 잘못 건드려 대기업들도 있는데 왜 나만 가지고 지랄이냐는 말이라도 한다면?

'쪼잔하다고 손가락질을 받은 대기업들이 가만히 안 있겠제.'

역풍이 단단하게 불 것이다.

강철선은 종혁이 가져온 자료를 종혁을 향해 밀었다.

"미안하지만 보강을 쪼매 더 해 오그라. 이것만 가지곤 부족하데이."

"끙. 어쩔 수 없……."

띠리링! 띠리링!

"음?"

권아영이다.

"잠시만? 예, 강철선입니더. 무슨 일이십니꺼, 권 이사."

사사로이 가족과 같은 관계가 됐지만, 그래도 말을 함부로 놓을 수 없는 존재 권아영.

—잘 계셨죠, 검사님. 좋은 투자처가 있어서 연락드렸어요.

"투자처예?"

–네. 드래곤 모터스라고 미국에서 제법 크게 중고차 판매를 하던 기업이 있는데, 그 회장님이 이번에 은퇴를 하시면서 한국에 오신다고 했거든요.

일제강점기 당시 미국으로 넘어간 이민자의 손자로, 미국에서 맨손으로 사업을 시작해 제법 큰 규모의 중고차 매매 기업을 일군 서대용 회장.

이제 70세도 가깝고 해서 할아버지의 나라 한국에서 한국의 발전을 위해 중고차 수출입 기업을 세운다고 한다.

–회장직을 내려놓으시긴 했지만, 드래곤 모터스와 비즈니스 파트너십을 맺어 미국 중고차를 한국으로 들여오는 한편, 한국의 중고차들을 좋은 차가 필요한 못사는 나라들에 파신다고 해요. 그 나라들이…….

"예? 어데요?"

–네. 아프리카의…….

거듭 설명하는 권아영의 말에 눈을 부릅뜬 강철선은 얼른 종혁이 가져온 자료를 살폈다.

'이, 이기?'

강철선은 불신이 가득한 눈으로 종혁을 봤고, 종혁은 무슨 일이냐는 듯 고개를 모로 기울였다.

–일단 본인이 가지신 자본으로 국내 딜러, 한국인 딜러를 약 4백여 명 정도 확보하셨고, 자동차도 약 7만여 대를 확보하셨는데 자금이 부족하신지 저희 권&박 홀딩스에 투자 문의를 해 오셨거든요. 여기에 검사님의 자금

을 넣을까 하는데 생각 있으신가 해서요.

예상 투자 수익은 1년에 약 18퍼센트.

웬만한 증권사보다 높은 수익률이다.

여기에 서대용이란 사람이 진출한다는 나라들이 조상호 대표가 진출한 나라들과 거의 일치한다. 이미 그 나라들의 중고차 매매상들과도 가계약을 맺었다고 한다.

"뭐, 뭐라꼬요?! 그, 그게 참말입니꺼? 언젭니꺼? 그 양반 언제 진출합니꺼?!"

-사흘 후에 한국에 귀화하신다는 뉴스가 대대적으로 발표될 거예요. 어떡할까요?

"……일단 넣어 주이소! 권 이사가 장담하는 건데 넣어야지 않겠습니꺼. 예, 매번 고맙습니데이. 들어가이소!"

전화를 끊은 강철선은 하얗게 질린 얼굴로 더듬더듬 담배를 찾아 물었다.

"왜 그러세요? 이모님이 뭐라고 하시는데요?"

강철선은 태연하게 고개를 모로 기울이는 종혁을 보며 얼굴을 와락 구겼다.

"이번에도 니가 한 짓이가?"

"응? 뭐가요? 뭔 일인데요?"

"……아이다."

아닐 거다. 이 일의 범인이 종혁이라고 하기엔 사이즈가 너무 크다.

중고차를 7만 대나 확보했다고 한다.

최소로 잡아도 거의 천억이다.

'그라고 야가 미국에 뭔 연줄이 있어가 그런 양반을 끌어들이겠노.'

너무 소설 같은 우연이라서 그런 착각을 한 것 같다.

하지만 우연이라 치기엔 너무 공교로운 우연.

'경찰의 대규모 검거로 대상 렌터카가 비명을 지르는 게 아니었던기라!'

이 서대용이란 양반이 공교로운 타이밍에 물량을 싹 쓸어 가면서 물량이 부족해진 것이다.

'물론 우연히 이렇게 된 것일 테지만, 맨손신화를 이룬 그 양반이 영역이 겹치는 조상호를 가만두겠나?'

그럴 리가.

한 산에 두 마리의 호랑이가 존재할 수 없듯 서대용은 조상호를 가만두지 않을 거다.

여기에 이미 조상호는 크게 참해를 당했다.

'그람?'

엉덩이를 들썩이던 강철선은 결국 몸을 일으켰다.

견적이 나왔다.

"앵장 필요하다고 했제?"

"주시게요?!"

"여서 1시간만 기다리라!"

참지 못한 강철선은 자료를 챙겨 들고 검사장실로 뛰어갔고, 그런 그를 멍하니 쳐다보던 종혁은 이내 피식 웃으며 다 식어 버린 커피를 홀짝였다.

"커피 향 좋네."

오늘따라 혀를 적시는 인스턴트 커피향이 참 좋았다.

* * *

“건배!”

“크아!”

“으아아!”

제법 넓은 고깃집. 특별수사 1, 2,3팀과 특수범죄수사과 광역수사대가 모여 술잔을 부딪친다.

“녹는다, 녹아!”

“아따, 한우는 뭐가 달라도 달라블고마잉!”

호들갑스럽게 젓가락질을 하는 그들의 입가엔 미소가 가득하다.

경찰이 기업을 쳤다.

한 해 매출이 천억이 넘는 거대 기업을 압수 수색하고 대표를 체포했다. 그것도 경찰에 물을 먹인 놈을.

평소대로라면 검찰이 가져가도 벌써 가져가서 언론의 주목을 받았을 초대형 사건. 아니, 게이트다.

구, 시의원들과 대한민국 3대 언론사 중 한 곳까지 얽힌 거대 게이트.

여기에 중고차 매매상들이 여러 인물에게 뇌물을 준 정황까지 드러났기에 절대 경찰이 감당할 사이즈가 아니다.

그걸 검찰이 아닌 경찰이 체포하고, 예쁘게 포장해서 검찰에 넘겼다. 덕분에 경찰의 위신은 하늘로 솟았고, 이택문 경찰청장에게 칭찬과 상여금을 약속받을 수 있었다.

하지만 사건의 내막을 보다 잘 알고 있는 사람들은 묘한 눈으로 종혁을 응시할 수밖에 없었다.

"응? 왜요?"

……딱!

"아?"

난데없이 김종두 과장에게 숟가락을 맞은 종혁은 미간을 구겼다.

"와아. 갑자기 때리기 있기, 없기?"

"있기, 짜샤! 이럴 거라면 이럴 거라고 말을 해야지! 괜히 생고생했잖아!"

영장이 없어 외부에서 한참 조상호와 대상 렌터카의 비리를 조사하기 위해 이리 뛰고 저리 뛰던 그들.

덕분에 들어간 차와 나온 차에 차이가 있다는 걸 알게 되는 등 범죄에 대한 여러 가지 정황 증거들을 발견했지만 이걸로는 좀 부족하지 않나 싶던 중 갑자기 영장이 발부됐다.

그걸로 상부에 허가조차 받지 않았던 비밀 수사는 공개 수사로 전환되었다.

솔직히 약간은 허무한 결말이었다.

"아니, 나라고 이럴 줄 알았겠어요?"

"어. 알았을 것 같아."

"……쪼끔?"

"에라이."

그럼 그렇지 하며 얼굴을 구기던 김종두는 눈을 빛냈다.

"어떻게 알았는데?"

그 말에 같은 테이블에 앉아 있던 다른 팀장들과 광역 수사대 대장도 호기심을 드러냈다.

종혁은 그런 그들을 보며 볼을 긁적였다.

"저도 그날 알게 됐어요, 영장받은 그날. 갑자기 이모님이 저한테도 투자할 생각이 없냐고 물어 오더라고요."

"그게 타이밍 좋게 등장한 서대용 회장이 새롭게 세운 빅 모터스다?"

종혁은 고개를 끄덕였다.

"그분이 몇몇 나라들과 가계약을 끝냈다는 말을 듣는데…… 아, 이래서 강 검사님이 영장을 주셨구나 생각이 들더라고요."

"……캬, 예술이다. 진짜 타이밍 예술이야."

때마침 서대용 회장이 등장하지 않았으면 어떻게 됐을까.

아니, 정확히는 서대용 회장이 대상 렌터카의 모든 거래처를 잡아먹어 대상 렌터카를 빈껍데기로 만들며 중고차 딜러들의 오랜 말장난인 고가 매입, 저가 판매가 아니라 '진짜 고가 매입, 저가 판매'로 국민들의 지지를 받지 않았으면 어땠을까.

아마 몇 달이 걸려도 조상호를 체포하지 못했을 것이다.

"진짜 네 운은 정말……."

김종두의 말에 다른 이들은 공감한다는 듯 혀를 내둘렀다.

"하하."

웃는 종혁의 모습에 고개를 젓던 그들은 돌연 실소를 터트렸다.

"그나저나 조상호 이 씹새 인과응보를 제대로 당했지라."

"푸핫! 맞네! 그러네!"

만약 조상호가 종혁을, 경찰을 공격하지 않았다면 어떻게 됐을까?

아마 중고차 매매 상인들은 대충 집중 단속이나 받다 끝났을 테고, 그랬다면 조상호는 중고차 매매상들로 하여금 한 목소리를 높이게 만들어 서대용 회장의 업계 진출을 막았을지도 모른다. 경찰도 조상호란 인물에 대해 몰랐을 것이다.

조상호의 세 치 혀가 제 발등을 찍은 거다.

역시 이래서 사람은 혀를 잘못 놀리면 안 되는 것이었다.

그들은 뻥 뚫리는 속에 다시 술잔을 부딪치며 웃음을 터트렸다.

"아오!"

사람들은 갑자기 비명을 지르는 광역수사대 대장을 놀라 바라봤다.

"그럼 이제 우리 종혁이가 제공해 주는 호사는 더 이상 못 누린다는 거잖아!"

"아……."

"아아아! 야, 종혁아! 우리 수사를 좀만 더…… 아, 다 정리해서 검찰에 넘겼지 참."

물이 찔끔 쏟아지는 싸구려 모텔이 아닌 뜨거운 물이

펑펑 쏟아지던 호텔, 편의점표 컵라면과 삼각김밥이 아닌 호텔표 김밥과 라면.

그 외에도 혀와 몸이 호화로웠던 이번 수사.

종혁의 돈맛을 처음 느낀 특별수사팀들과 광역수사대 대원들은 좀만 더 하면 안 되겠냐며 간절한 눈으로 종혁을 응시했다.

"푸흐흐. 수고하셨습니다."

"……아!"

"아악! 안 돼!"

"대신! 오늘 하루는 제가 풀로 쏠 테니 이걸로 아쉬움은 끝내 주십쇼! 저도 쪼들려요!"

"우오오오오오!"

"야! 마셔! 허리띠 풀어!"

"사장님, 여기 모둠 3인분이요!"

순간 배 속에 거지가 들어선 듯한 모습에 그들의 대장들은 슬그머니 외면했다.

낄낄 웃은 종혁은 그런 그들을 외면해 주었다.

"아 참, 종혁아."

"네?"

"그래서 이제 뭐 할 거냐? 생각해 놓은 사건 있어?"

김종두의 말에 광역수사대의 대장도 눈을 빛냈다.

이번 사건을 통해 간편 신고 사이트의 의미를 확실하게 알게 된 그들.

'간편 신고 사이트는 전국에 산재한 모든 유형의 사건

이 모이는 창구다!'

모든 유형이다.

그중에는 어떤 커다란 사건이 숨어 있을지 모른다.

사건의 냄새를 기가 막히게 맡는 종혁이니 혹시라도 이번처럼 큰 사건을 여러 개 발견했을까 그들은 눈을 붉힐 수밖에 없었다.

그런 그들의 마음을 알아차린 종혁은 묘한 미소를 지었다.

"글쎄요. 일단은 인천 쪽에 있는 조직 하나를 때릴까 하는데요……."

"인천에 있는 조직을? 왜?"

"어떤 양아치 새끼랑 약속한 게 있어서요."

무려 1억을 처먹고 날라 버린 차팔이 놈.

분명 수표는 결제가 됐는데, 종혁이나 수호의 앞으로 차량이 등록된 게 없다.

즉, 이놈은 웃돈을 받는 것으로 입을 다물겠다는 약속을 여기며 언론과 인터뷰를 한 것도 모자라 1억까지 들고 날랐다.

간이 몸뚱이만큼 부은 놈이다.

'그렇다면 내가 한 약속대로 해 줘야지.'

종혁은 의아해하는 사람들을 일견하며 술잔을 들었다.

* * *

"씨발! 죽여!"

"다 죽여 버려!"

콰장창! 콰작! 꽈아앙!

인천의 한 구역을 주름잡던 조직이 수십 명의 형사들에 의해 박살 나고 있다.

털썩!

무릎을 꿇은 조직의 보스인 오십대 장년인은 느긋이 담배를 물고 있는 저승사자들을 보며 공포에 떨 수밖에 없었다.

"트, 특수가 저, 저희를 왜……."

어디 오늘 자신들을 찾은 저승사자가 특수범죄수사과뿐일까. 광역수사대와 본청의 신설 수사 부서인 특별수사팀까지 와 있다.

"저희 요새 정말 잘못한 거 없습니다!"

"우리도 알아."

빠득, 빠드득!

장년인은 앞으로 나서는 젊은 놈, 종혁을 보며 의아해했다.

종혁은 담배를 물었다.

"너희가 다른 조직들과 다르게 약도 안 팔고, 보호세나 받으며 사는 거. 뭐 가짜 양주도 좀 팔고 바가지도 씌우고 건설 쪽에 난장도 피우고 뭐 그냥저냥 다른 깡패 새끼들처럼 사는 거 다 알지."

흠칫!

다 알고 있다.

그런데 지금 그게 문제가 아닌 것 같다. 아니, 정확히는 그 문제 때문에 온 게 아닌 것 같다.

"그, 그럼 왜……."

"아, 별건 아니고. 한 6년 전인가? 7년 전에 너희 똘마니 중에 허익이라는 놈이 있었을 거야."

'똘마니?'

"근데 그놈이 내 돈을 들고 날랐지 뭐니?"

"아, 씨벌…… 아, 아니 형사님에게 한 욕이 아닙니다!"

"그럼 알지. 우리 대양 씨가 그렇게 간 큰 새끼는 아니라는 거."

"하하, 감사합니다."

"2시간 줄게."

"예? 아, 아니 그건……."

"그 안에 잡아 오면 열 놈 두 바퀴로 봐준다."

"……뭐해, 이 씹새끼들아! 얼른 수배 안 때리고!"

"예, 형님!"

종혁은 바빠진 그들을 일견하며 오늘 도움을 주기로 한 형사들을 봤다.

"술집에 왔는데 술이나 한잔하시죠?"

"푸핫. 그럴까?"

"어이구. 여긴 뭐가 맛있으려나. 야, 여기 안주 뭐 있냐?"

"뭐, 뭐든 있습니다, 형사님. 시켜서라도 가지고 오겠습니다, 형사님!"

"오, 그래? 영업 잘하네. 치킨 먹을 사람?"

조폭들 영업장에 형사들의 술판이 열렸다.

빠악!

"켁?! 죄, 죄송합니다 형님!"

"아오, 이 씹새끼. 진짜…… 들어가, 이 개새끼야!"

쿠당탕 엉덩이를 걷어차여 구른 허익은 새파랗게 질려 벌벌 떨면서도 그대로 따를 수밖에 없었다.

새로 얻은 집에서 자던 중 갑자기 찾아온 이들에게 두들겨 맞고 끌려왔다. 오는 도중에도 죽어라 맞았다.

대체 뭘 잘 못했는지 모르겠지만 일단 자신은 죽은 거다.

'씨발, 씨발, 씨발! 대체 왜 나한테 이런 일이…… 어?'

어떻게든 살아야 한다는 생존 본능에 휩싸이던 허익은 딸랑 소리를 내며 열리는 문을 통해 드러난 광경에, 마치 영화처럼 시야를 파고드는 한 사람에 눈을 부릅뜰 수밖에 없었다.

"흡?!"

"오, 왔네? 하이?"

기다리던 사람이 드디어 왔음에 맥주를 주욱 들이켜며 일어선 종혁은 양손으로 술병을 공손이 잡고 있는 이 조직 보스의 어깨를 두드렸다.

"저놈까지 해서 모레까지 열 놈 보내. 그럴 수 있죠, 오 회장님?"

"예, 형사님!"

"난 계산에 팁까지 다 줬으니까 접대든 뭐든 저새끼처

럼 딴말하면 진짜 뒤지는 겁니다."

"……예!"

"믿어요. 자, 이게 그만들 일어나시죠?"

"어이구. 그럴까?"

"양 사장, 맛있게 먹고 갑니다. 아, 이 집 치킨 잘하네."

종혁은 여전히 얼어붙어 있는 허익을 지나치며 씩 웃었다.

"내가 약속했지?"

"힉?!"

'그, 그럼?'

"모레에 본청에서 봅시다, 허익 씨."

"아……."

우르르, 딸랑딸랑!

등 뒤에서 흔들리는 문.

"다 가셨습니다, 큰형님!"

"후우-! 문 걸어 잠그고 그 개새끼 데리고 들어와."

"사, 살려……! 아악! 사, 살려 주십시오!"

이래서 사람은 함부로 입과 혀를 놀리지 말아야 하는 것이었다.

2장. 어린아이의 친구

어린아이의 친구

휘이이잉!

새하얀 눈보라가 몰아치는 고속도로 위.

다른 차들처럼 종혁이 운전을 하는 차도 거북이걸음을 하고 있다.

–저 푸른 바다 끝까지 말을 달리며…….

삑!

–사랑했나 봐. 잊을 수 없나 봐!

삑!

–살다가! 살다가!

"에잇! 노래들이 다 왜이래? 트로트나 뽕짝 없어?"

CD플레이어의 버튼을 꾹꾹 누르던 최기룡이 버럭 하자 종혁은 어이없다는 듯 바라봤다.

"아니, 출발했을 때부터 지금까지 주무신 분이 노래 가지고 트집을 잡으신다고요?"

"아, 그래. 내가 이제 경찰청장이 아니라는 거지?"

"말이 또 왜 그렇게 되는데요?"

"몰라, 이 자식아."

나 삐졌어 하는 그의 모습에 종혁은 고개를 저을 수밖에 없었다.

'에휴. 이번 명절엔 또 뭔 소리를 들으셨기에.'

경찰청장직에서 물러나 백수가 되면서 가장으로서의 권위가 확 떨어진 최기룡. 종혁은 이해하기로 했다.

"그리고 원래 이런 노래를 알아야 손주들과 대화도 많이 나누는 겁니다."

"……그래?"

"돌아가는 대로 정리해서 보내 드릴게요."

"역시 내 마음은 종혁이 네가 제일 잘 알아주는구나. 에휴."

'손자손녀 대화에 끼시려다가 사모님에게 한 소리 들으셨구만?'

아무래도 그랬을 확률이 제일 크다.

"아, 이번 대상 렌트카 게이트가 네 작품이라면서?"

"아직까지 라인이 살아 계시네요."

"물러난 지 이제 1년도 안 됐다, 이 자식아!"

"흐흐."

"쯧. 아무튼 그러면 요새 눈치 좀 보겠네?"

"뭐, 그런 경향이 없잖아 있죠."

대상 렌트카를 박살 내며, 동시에 그곳과 함께 얽혀 있던 대한민국 3대 언론사 중 한 곳의 턱주가리를 돌려 버렸다.

이에 그 언론사의 기자들이 전부 눈에 불을 켜고 특별수사팀을 지켜보는 중이었다.

그러나 아직은 창설 이유가 드러나면 안 되는 특별수사팀이기에 사소한 행동 하나라도 트집 잡히지 않기 위해 잠시 조심할 필요가 있었다.

"그래도 겨울 낚시는 안 갑니다. 겨울에 낚시하다가 얼어 죽어요."

"안…… 돼?"

"……에휴. 알았어요. 바다 쪽에 좌대 낚시로 한번 알아볼게요. 웬만하면 내일 할 수 있도록요."

간절한 눈빛을 보자니 도저히 거부할 수가 없다.

'일평생을 범인을 잡기 위해 뛰어다니던 양반인데 퇴직 후에 얼마나 좀이 쑤셨을까.'

거기다 올 설날은 토요일부터 시작된 명절이라서 이 기회에 푹 쉬자며 수요일까지 휴가를 신청해 놨기에 시간도 넉넉했다.

"크. 역시 종혁이 너뿐이다."

"아주 이럴 때만 찾지. 아, 그런데 이 폭설에도 종가에 모이긴 하네요?"

고립이 되지 않은 게 이상할 정도로 눈이 내리고 있다.

"어쩌겠냐. 아직까지 두 눈 시퍼렇게 뜨고 계시는 어르신들이 원하시는데……. 이러다 자빠져서 병원에 누워 봐야 아, 이런 날엔 모이면 안 되는구나 할 텐데."

'동감입니다.'

어르신들 일이라 차마 입에 담지 못한 채 입맛만 다시던 종혁은 창밖을 보며 눈을 껌뻑였다.

"어? 해 뜬다."

"뭐? 어디?"

앞 유리창 밖에 가득 껴 있던 잿빛구름들이 물러나며 햇빛이 내리쬐기 시작한다. 마치 그들의 명절 귀성을 축하한다는 듯이 말이다.

그에 힘입어 달려 도착한 종혁은 트렁크에서 온갖 선물들을 꺼내며 종가 안으로 들어갔다.

"할머님! 저 왔습니다-!"

"오! 우리 최 경감!"

"아저씨!"

종혁은 반기는 사람들 뒤편 저 멀리서 지팡이를 짚으며 다가오는 할머니를 보며 활짝 웃었다.

* * *

"어이구, 됐어요. 더 넣을 자리도 없어요."

"다음엔 더 큰 차로 몰고 와. 알았지?"

"예. 그럴게요."

"다 연락해서 중고차 꼭 알아보고 사라고 했으니까 너무 걱정 말고."

"추워요. 어서 들어가세요."

아쉬움을 가득 담아 손을 젓는 할머님을 뒤로하며 차에 오른 종혁과 최기룡은 종가를 빠져나가기 시작했다.

그러며 백미러로 뒤를 본 종혁은 한숨을 내쉬었다.

"건강검진은 받으셨으려나."

보일러는 제대로 돌아가는지, 외투는 좋은 걸 입으시는지, 영양제는 드시는지 할머님 낯빛이 작년보다 좋지가 않다 보니 많은 게 걱정되고 거슬린다.

"어쩌겠냐. 종부님 연세가 연세신데."

받아들일 준비를 마친 것 같은 최기룡의 모습에 종혁의 가슴은 더 무거워졌다.

"아무튼! 오늘 아주 배 터지게 먹겠네!"

할머님이 이번에도 이것저것 음식들을 바리바리 싸 주셨다.

최기룡은 그걸 말하고 있었다.

"아니 낚시를 하자는 거예요, 캠핑을 즐기자는 거예요?"

"둘 다, 이 자식아!"

틱!

—따, 따라라라! 아, 당신은 못 믿을 사람.

"고렇치! 이게 노래지!"

'예, 예.'

종혁은 고개를 저으며 아직 눈이 다 녹지 않은 도로를 조심스럽게 달렸다.

바다에 가기 위해 국도로 접어든 그들.

고속도로보다 통행량도 적고 일조량도 적어서 그런지 아직도 눈에 뒤덮인 국도를 거북이처럼 달리다 보니 늦은 아침에 출발했음에도 벌써 해가 지고 있다.

"휴가 내고 오길 잘했네."

"끙. 미안하다니까."

최기룡이라고 이렇게 눈이 녹지 않았을 줄 어떻게 알았겠는가.

"오늘 밤낚시 하고 내일은 무조건 올라올 겁니다."

"그래, 그래. 내가 죄인이다."

다시 한번 사과를 듣고 나서야 짜증이 풀린 종혁은 저 멀리 표지판을 보곤 눈을 번뜩였다.

"휴게소에서 커피 한잔하고 가실래요? 물도 뺄 겸."

"좋지!"

종혁은 얼른 휴게소 안으로 차를 몰았다.

그렇게 휴게소에 진입한 순간 종혁과 최기룡은 동시에 고개를 모로 기울였다.

"응? 웬 차들이 이렇게 많지?"

"그러게요?"

고속도로의 휴게소도 아니고, 국도의 허름한 휴게소에 20여 대에 가까운 차들이 세워져 있다. 주차장이 넓어서 다행이지, 아니었다면 이대로 차를 돌려 나갈 뻔했다.

'날이 이러니 모이게 된 건가?'

그럴 확률이 있긴 하다.

그런데 거슬리는 점은 이렇게 차들이 뭉쳐 있는 모습이 둘에게는 썩 낯설지 않다는 점이다.

'뭐지?'

하지만 도통 떠오르지가 않아 고개만 갸웃거리던 그들은 결국 주차를 한 채 차에서 내렸다.

탁! 타악!

"끄으으!"

멀리서 불어온 한겨울 차가운 바람이 오랜 운전에 지친 그들의 심신을 달래 주었다.

"아우, 죽겠네. 아, 화장실이 저쪽에 있네요."

"어우우. 그래, 얼른 가자."

둘은 잰걸음으로 화장실을 향해 달려갔다.

그렇게 시원하게 볼일을 마친 둘은 휴게소 매점 안으로 들어가 따뜻한 캔커피를 계산한 후 매점 내부를 스윽 훑어봤다.

"방금 저놈의 새끼들 우리 경계했지?"

화장실을 가고, 매점에 들어올 때까지 뒤통수에 시선이 따라붙었다.

"예. 총 두 놈이요."

휴게소 입구 쪽에 세워져 있던 차량에 한 놈, 뭉쳐 주차된 차들 중 한 놈.

"그런데 그 두 놈을 제외한 나머지 사람들은 서로 모르는 눈치였어요."

정확히는 총 7개의 무리와 주변인들로 나뉘어져 있었

다. 차 안에 틀어박혀 라디오를 켜 놓거나 핸드폰을 보거나 서로 어울려 커피를 홀짝였다.

"……바지선에 낚시 가는 양반들인가?"

조금만 더 가면 바다다.

그럴 확률이 높았다.

"아무래도……."

딸랑 종소리를 내며 열리는 문에 둘은 입을 다물었고, 그런 그들을 향해 한 오십대 남성이 머뭇거리며 다가왔다.

"배 타러 가시는 분들입니까? 그럼 얼른 마시고 나와요. 곧 출발합니다."

둘은 그제야 안심하며 손을 저었다.

"아뇨, 아뇨. 저희는 좌대 낚시를 예약해서요."

"아, 그래요? 그럼 어신 낚으십쇼."

"하하, 옙! 수고하세요!"

장년인이 안쪽으로 들어가자 서로를 본 종혁과 최기룡은 이내 어깨를 으쓱이며 차로 향했다.

부르릉!

시동이 걸린 차는 곧 다시 어둠에 잠긴 도로를 향해 출발했다.

그렇게 얼마나 갔을까.

계속 고개를 모로 기울이던 종혁은 결국 참지 못하고 눈살을 찌푸렸다.

"희한하네. 왜 짐승 누린내가 났지?"

방금 전 장년인이 풍기던 짙은 생선 비린내.

때문에 안심할 수 있었던 그 냄새 속에 짐승 누린내가 있었다.

"짐승 누린내?"

"예. 꼭 평생 안 씻긴 개 냄새…… 투견 도박! 씨발!"

종혁은 비명을 지르듯 외쳤다.

최기룡도 얼굴을 와락 구겼다.

왜 익숙한 모습인가 싶었다.

원래부터 경찰의 단속을 피하기 위해 이렇게 외곽 도로 휴게소에서 상황을 살피다 은밀한 장소로 향하는 투견 도박꾼들.

최기룡은 다급히 핸드폰을 꺼내 들었다.

"어, 난데! 지금 내가 불러 주는 주소 근처 관할서에 협조 요청해서 경찰 병력 출발시킬 준비 좀 해 줘! 개놀음 하는 새끼들 꼬리 잡았으니까!"

불법 하우스도박보다 더 은밀하게 도박을 해서 꼬리조차 잡기 힘든 투견 도박꾼들.

이놈들은 회귀 전 종혁조차도 겨우 한 패거리만 검거했을 정도로 은밀하고 치밀한 놈들이다.

종혁은 위험을 감수하며 속도를 높였다.

부아아앙!

그렇게 40분 뒤 다시 도착한 휴게소.

"……씨발."

"담배 줘 봐."

휘이잉!

사람 그림자는커녕 찬바람만 몰아치는 휴게소에 둘은 한숨을 푹 내뱉었다.

하지만 완벽하게 놓친 건 아니다.

종혁은 핸드폰을 들었다.

"예, 간편신고관리과 특별수사팀의 최종혁 경감입니다. 어휴, 명절인데도 수고하십니다. 다름이 아니라 차량 소유주 좀 확인하고 싶어서 연락드렸는데요."

종혁은 방금 전 외운 차량 번호들을 말하곤 전화를 끊었다.

"차량 번호나 몽타주 더 딸 수 있나 CCTV부터 확인하죠."

"……에이, 씨부랄. 낚시는 공쳤네."

공치다 뿐일까.

이대로 근처 관할 경찰서에 가서 몽타주부터 작성해야 됐다. 한두 장이 아니다 보니 아무래도 날을 새야 할 듯싶었다.

"하아. 확인하기 전에 라면이나 먹자. 배고프다."

"……할머님이 싸 준 음식들 꺼내 올게요."

"그 생전복이나 굴 같은 것들도 꺼내 와. 같이 끓여 달라고 하게."

가족들과 함께 먹으라고 할머님이 챙겨 주신 완도산 전복과 통영 굴, 자연산 홍합 등 해산물들.

낚시를 못하게 되어 쓰린 속, 이걸로 달래야 할 듯싶었다.

"하. 이런 건 술이랑 먹어야 하는데."

"몽타주 따야 하잖아요."

"아, 진짜 욕 나오네!"

그들은 툴툴거리며 불이 꺼지려는 휴게소 매점을 향해 걸음을 옮겼다.

* * *

개운하지 않은 휴가를 마친 종혁은 본청으로 복귀를 했다.

"좋은 아침입니다."

"부팀장…… 아니, 팀장님!"

오늘도 시끌시끌한 본청 로비.

종혁을 발견한 옛 부서 경찰 이미지 마케팅팀의 팀원이 종혁을 발견하고 눈물을 글썽이며 달려온다.

"오, 이게 누구야? 명절 휴가는 잘 다녀왔어?"

"……해남 땅끝이 시골이라서 이틀을 고속도로에서 보냈습니다. 하, 진짜 팀장님이 계셨으면……."

아마 명절 휴가 여행을 떠났을지도 모른다.

"큭큭. 수고했다. 그럼 출근 잘하고. 언제 날 잡아서 알려 줘. 한잔해야지?"

"……넵!"

옛 팀원의 어깨를 두드린 종혁은 돌아서며 아는 사람을 향해 인사를 했고, 옛 팀원은 그 밝은 모습을 멍하니 바라보다 고개를 저으며 돌아섰다.

그렇게 지하 사무실로 내려온 종혁은 손을 들며 크게 인사했다.

"안녕하십니까!"
"충성!"
"오, 1팀장. 휴가 잘 보냈어?"
"에휴. 잘 보내긴요. 투견하는 놈들 꼬리 잡았다가 놓치면서 휴가 다 날렸어요."
"에엥?"
"그런 게 있습니다. 오 경감님은 좀 어땠어요?"
"이번 명절은 어디 가지도 못하고 방콕 했지. 돈이 있어야지……."
종혁은 20억을 말했지만, 소시민인 오택수는 그 돈을 빌릴 수가 없었다.
그래서 대신 숨겨 둔 비상금을 모두 꼬라박았는데, 그 결과 명절에 부모님이나 장인장모께 아내 몰래 드릴 용돈은커녕 애들 줄 세뱃돈조차 없는 상황이었다.
애들 줄 세뱃돈이야 꼬불쳐 둔 상여금으로 어찌어찌 해결했지만 앞으로가 문제였다.
당분간 군것질은커녕 술도 꿈을 못 꾸게 됐다.
중고차 사건이 터지기 전 촬영장을 모두 돌았을 때처럼 말이다.
이번엔 정말 폭설이 내려 겨우 면피를 하게 된 상황이었다.
"정말 괜찮지? 믿어도 되는 거지?"
"걱정 마세요. 그 돈, 이자 톡톡히 얹어서 돌려받을 테니까. 힘드시면 지금이라도 돌려 드릴 수도 있고요."

조희구는 지금 건드릴 시기가 아니다.

지금보다 사기 액수가 더 커졌을 때, 아랫돌을 빼내어 윗돌을 괴는 것도 한계에 다다라서 도주를 하려고 할 때, 그때 단번에 몰아쳐야 한다.

그래서 놈들의 조직에 큰 타격을 입혀야 한다.

"아, 그건 아니고……. 후, 미안하다. 내가 그렇게 큰돈은 집 살 때 말고 써 본 적이 없어서 그래."

"아니요. 그럴 수 있죠. 언제든 부담되시면 말해 주세요."

"……그래. 그럴 일은 없겠지만."

오택수는 이제 그 비상금을 없는 돈으로 생각하기로 했다.

그런 그의 표정 변화에 고개를 끄덕인 종혁은 최재수를 봤다.

무슨 일인지 책상에 머리를 처박고 있는 최재수.

종혁은 최재수를 손가락으로 가리키며 오택수를 봤다.

"소개팅 망했대."

"푸핫!"

"웃지 마십쇼!"

"켈록켈록. 그래, 다른 좋은 여자가 있을 거야. 최 경장, 파이팅."

"……진짜 때리고 싶다."

특별수사팀이 웃음바다가 되었다.

얼굴이 시뻘개졌던 최재수는 이내 한숨을 푹 내쉬며 컴퓨터를 켜는 종혁에게 다가갔다.

"이번 주에 시간 되십니까?"

"주말? 글쎄. 주말엔 잠깐 어디 가야 하는데…… 무슨 일인데?"

"그, 그게…… 꾸미는 법 좀 가르쳐 주실 수 있겠습니까?"

굳이 비싼 명품을 입지 않아도 귀티가 나는 종혁. 최재수 주위에서 옷을 제일 잘 입는 사람은 종혁이었다.

'내가 까인 건 옷을 못 입어서야!'

이만하면 얼굴도 잘생겼고, 키도 큰데 애프터를 거절당했다. 이건 입고 나갔던 옷이 구렸던 것이다.

"저녁 사겠습니다!"

종혁은 간절한 그의 모습에 피식 웃었다.

"오케이. 알았어."

"감사합니다! 아, 그런데 누굴 만나시는 겁니까?"

"옛날에 내가 담당했던 사건의 피해자. 늦은 산타라도 되어 보려고."

'그것뿐만은 아니지만.'

순간 두 눈에 서늘한 냉기가 퍼진 종혁은 손을 젓고는 전화기를 들었다.

"수고하십니다. 특별수사 1팀의 최종혁 경감입니다. 사이트에 도박 신고 들어온 거 있으면 정리해서 보내 주실 수 있겠습니까? 예, 감사합니다."

통화를 마친 종혁은 위기관리센터에도 전화를 했고, 종혁이 뭔가 냄새를 맡은 것 같자 오택수의 눈이 빛나기 시작했다.

다시 사건이었다.

* * *

아이들이 사는 집인지 아기자기하게 꾸며진 40평대의 아파트.

거실에서 배를 내놓은 채 고롱고롱 잠든 아이들을 바라보는 젊은 엄마의 눈에서 애정이 뚝뚝 떨어진다.

그때였다.

띵동!

아이들을 깨울 수 있는 초인종 소리지만, 젊은 엄마는 기다렸던 건지 재빨리 달려 나간다.

벌컥!

"형사님!"

활짝 피는 그녀의 미소에 종혁이 잠시 멍해진다.

"……저와 결혼해 주시겠습니까?"

"네, 네? 호호호!"

"하하. 농담이었습니다. 아, 이쪽은 저와 한 팀인 최재수 경장입니다."

퍼억!

옆구리를 얻어맞은 최재수는 다급히 정신을 차렸다.

"추, 충성!"

"호호. 아, 어서 안으로 들어오세요."

"예. 그럼 실례하겠습니다. 그리고 이건 빈손으로 오기 그래서 대충 집어 왔습니다."

"이, 이러지 않으셔도…… 어머?"

그녀도 말로만 들었던 스웨덴 고급 화장품과 인형놀이 세트, 곰인형, 변신로봇 세트와 조립 장난감이다.

그녀는 토끼 모양, 로보트 모양의 목걸이를 보고 가장 놀랐다.

"형사님도 이걸 아세요?"

잡아당기면 방범벨이 크게 울리고, 버튼을 누르면 녹음도 되는지라 아이 엄마라면 필수적으로 구하는 제품이다.

"형산데 잘 알아야죠. 이건 여기 인형 눈을 통해 녹화도 되는 거예요."

"저, 정말 이러지 않으셔도 되는데……."

남편이라 믿었던 사람에게 죽을 뻔했던 이희선.

그녀에게 있어 종혁은 평생 은혜를 갚아도 갚을 수가 없는 은인이었다.

종혁은 어쩔 줄 몰라 하는 그녀를 지나쳐 거실로 들어왔다가 배를 내놓은 채 잠든 두 아이를 발견하고 흐뭇한 미소를 지었다.

"영우와 희설이도 많이 컸네요."

하마터면 엄마를 죽인 아버지에게 죽을 뻔했던 영우와 희설. 종혁이 4학년 때 해결한 아내 독살미수 사건의 피해자들이다.

이희선, 정영우, 정희설.

그때 그 밤톨처럼 작고 귀엽던 꼬맹이들이 어느새 초등학교에 들어가도 될 정도로 커 있었다.

"벌써 햇수로 4년째인걸요."

"시간이 벌써 그렇게 됐네요. 아, 잘 마시겠습니다."

종혁은 그녀가 준 음료수를 홀짝이며 집 안을 둘러봤다.

"집이 좋네요."

"호호. 모두 형사님 덕분이죠."

종혁이 알려 준 자산운용사 권&박 홀딩스.

거기서 찍어 준 아파트다. 평수가 넓을수록 좋다고 해서 약간 무리를 해 구입했는데 집값이 벌써 2.5배나 뛰었다.

상가 건물은 또 어떤가. 거기도 2배나 뛰었다.

덕분에 그녀는 직장이 없어도 돈 걱정 없이 아이들에게 집중할 수가 있어서 좋았다.

그래서 작년부터는 다시 공부를 시작하는 한편, 아이들 정서 발달을 위해 비즈공예나 인형 만들기 등 자격증 준비도 하고 있었다.

종혁은 그렇게 말한 그녀가 가져온 작품들에 엄지를 치켜들었다.

"팔아도 되겠는데요?"

"에이, 아니에요."

종혁은 발개진 얼굴로 손을 젓는 그녀의 모습에 고개를 끄덕였다.

'잘 살고 있는 것 같아서 다행이네.'

푸근히 웃은 종혁은 그녀와 그동안 쌓인 이야기를 나누었고, 도중에 일어난 영우, 희설에 약간 시달려야 했다.

애들 체력은 무한이었다.

그러다 시간을 확인한 종혁은 몸을 일으켰다.

"그럼 전 이만 가 보겠습니다."

"버, 벌써요? 식사라도 하고 가시죠!"

"약속이 있어서요."

종혁은 가지 말라는 듯 허벅지에 매달려 있는 희설의 머리를 쓸어내리며 희선을 봤다.

"잘하고 계십니다, 희선 씨."

"……흑!"

아무것도 모르는 어린 나이에 결혼해 남편만 바라보고 살다가 남편에게 큰 배신을 당하며 세상에 맨몸으로 던져진 그녀.

영우와 희설이 남편의 자식이기도 하기에 못된 마음을 먹을 수도 있건만, 사랑으로 아이들을 키우고 지키는 그녀의 숭고한 모정에 절로 고개가 숙여진다.

이 정도면 잘하다 못해 훌륭한 거다.

"그럼 가 보겠습니다. 무슨 일 있으면 연락 주시되, 이제부턴 저란 사람이 있었다는 것도 잊으면서 사세요. 아픈 기억은 꺼내지 말아야죠."

"형사님!"

"그럼."

고개를 숙인 종혁은 돌아섰고, 결국 그녀는 양손에 얼굴을 묻으며 무너졌다.

최재수는 울상이 된 아이들에게 둘러싸이는 그녀를 보

며 안절부절못하다 종혁을 따라나섰다.

저벅저벅!

"……감사합니다. 가르쳐 주셔서."

사건을 해결한다고 끝이 아니다. 피해자가 잘 살아가는지도 지켜보는 것도 형사의 일이다. 종혁은 오늘 그걸 가르쳐 준 것이다.

종혁은 그런 최재수의 말에 살짝 놀랐다가 이내 등을 두드렸다.

"그래. 너도 잘하고 있어, 최 경장."

그러니 조급해하지 말았으면 싶다. 형사가 조급하면 봐야 할 것도 놓치기에.

울컥!

"예!"

순간 뜨거워지는 눈을 비빈 최재수는 종혁의 뒤를 따르며 입을 열었다.

"그런데 왜 아파트 밖에 차를 세워 두셨습니까?"

"애 딸린 미망인에게 외간 남자가 찾아가는 건 썩 좋지 않거든."

특히 사람이 모여 사는 아파트에선 그런 소문이 더 잘 퍼진다.

이희선도 그렇겠지만, 영우와 희설에게도 좋지 못하다.

그리고…….

"최 경장, 빨리 따라와!"

자그마한 팬시점으로 들어가는 오십대 남성과 7세 정도의 여자아이.

그 둘을 발견한 종혁은 이를 악문 채 뛰기 시작했다.

저것이었다. 종혁이 오늘 이곳을 찾은 또 다른 이유가.

* * *

"으아아아앙!"

오늘도 아침을 깨우는 울음소리.

눈을 비비며 일어난 삼십대 초반 젊은 부부의 아내는 아이의 방으로 향하고, 남편은 화장실로 향한다.

거의 1년 전부터 일상이 되어 버린 일.

"안녕히 주무셨어요……."

발갛게 젖은 눈을 한 채 자그마한 당근 인형을 꼭 쥔 채 다가와 인사를 하는 딸의 모습이 안쓰러운 것도 일상이다.

"우리 딸도 잘 잤어? 아빠 씻고 나올게?"

그렇게 씻고 나온 남편이 식탁에 앉고, 밥상을 차린 아내는 식탁 주위를 서성이는 딸에게 유치원 원복인 노랑개량한복도 입히고 밥도 먹이며 고군분투를 치른다.

"다녀올게. 오늘은 회식 때문에 좀 늦을 거야."

"많이 늦어요?"

"오늘 부장님 생신이라."

"술 마시는 아빠 싫어!"

“하하. 알겠습니다, 공주님. 많이 안 마실게요?”

“약속?”

“약속.”

새끼손가락을 건 딸이 강아지에게 달려가자 남편은 아내를 봤다.

“다녀올게. 아, 저녁에 책 좀 반납해 주고.”

“알았어요. 조심히 다녀오세요.”

“아빠! 안녕히 다녀오세요!”

그렇게 남편이 떠나자 두 모녀의 시간은 바빠지기 시작했다.

“어머. 우리 딸 신발도 혼자 신었어?”

“응! 나도 벌써 6살인걸?”

“우리 솜이 장하네?”

엄마의 따뜻한 손길에 아이의 얼굴엔 방싯 미소가 피어난다.

그때였다.

지이잉! 지이잉!

“어머! 벌써 시간이? 아, 안 챙긴 게…….”

갑자기 당황하며 핸드백 안을 뒤지는 엄마의 모습에 딸, 이솜은 한심하다는 듯 응시한다.

“에혀. 엄마는 꼭 저러더라.”

유치원 선생님은 언제나 미리미리 준비하는 습관을 기르라고 하는데, 엄마는 언제나 문 앞에 서면 저런다.

‘아무래도 엄마는 유치원을 안 다닌 게 분명해.’

유치원 가방을 고쳐 멘 이솜은 손을 높이 들어 전자도어락 버튼을 누르고 먼저 집을 나섰다.

시이잉!

매섭게 불어오는 찬바람에 절로 몸을 움츠렸던 이솜은 노란 병아리색 버스 앞에 서서 발을 동동 구르는 방학 선생님의 모습에 활짝 웃으며 달려갔다.

"안녕하세요!"

"우리 솜이도 안녕?"

푸근히 웃는 선생님의 햇살 같은 향기에 솜이는 잠시 멍해진다.

후다닥!

"어머머, 죄송해요."

"아니에요, 어머님."

맞벌이 가정을 대상으로 방학에도 아이들을 돌봐 주는 행복유치원.

얼마 전 엄청난 규모의 특수학교를 세우며 큰 이슈가 되었던 행복의 쉼터 재단에서 작년에 설립한 곳이다.

처음에는 그곳의 선생님들이 가출 청소년 센터에서 자란 사람들로 구성되어 있다는 말에 우려가 있었지만, 알고 보니 전원 세계 유수의 대학에서 아동복지를 전문적으로 배운 유학파였다.

거기에 유치원 시설과 운영 프로그램은 또 어떤가.

잔디 구장, 실내 수영장, 승마장, 스케이트장까지 도무지 유치원이라고는 믿기지 않는 시설들이 자리할 뿐만 아니라, 원하는 외국어와 악기를 배울 수 있는 수업까지 준비되어 있었다.

대한민국의 그 어떤 교육 시설과 비교해도 결코 뒤지지 않는 수준이다.

그런데 놀랍게도 학비가 비싸기는커녕 도리어 맞벌이 가정이거나 기초생활수급 가정에게만 입학을 허가했다.

특이하게도 부모의 인성과 아이들의 인성을 검사하여 통과되어야만 한다는 조건이 덧붙었지만, 당연하게도 입학을 원하는 이들은 수없이 많았고 경쟁은 치열했다.

그렇게 어렵사리 입학한 곳인데 오늘도 지각을 했다.

손을 젓는 방학 선생님의 모습에 솜이 어머니는 오늘도 사색이 될 수밖에 없었다.

'이, 이러다 퇴학당하면 어쩌지?'

실제로 이런 이유로 아이를 퇴학시키는 유치원이 종종 있기에 솜이 어머니는 어쩔 줄 몰라 했다.

"어머니, 어머니가 당당하셔야 아이들도 보고 배우는 거예요. 주의만 기울이면 되는 일로 어머니가 위축되시면 아이도 위축됩니다."

"……흑. 감사합니다, 선생님."

"네. 그래도 솜이가 배울 수 있으니까 다음부턴 꼭 지각해 주지 마시고요. 눈이 녹지 않은 곳도 있으니까 출근길 조심하세요. 솜이야, 엄마한테 인사해야지?"

"엄마 빠빠."

"응. 우리 솜이 엄마가 사랑해."

"나두 사랑해!"

솜이는 떼어지지 않는 걸음을 억지로 떼며 멀어지는 엄마를 향해 손을 붕붕 젓다가 돌연 한숨을 폭 내쉬었다.

"에혀. 힘들다, 힘들어."

엄마랑 놀아 주는 게 왜 이렇게 힘든지 모르겠다.

"풉. 우리 솜이도 이제 친구들 만나러 갈까?"

"네!"

선생님 손을 잡고 버스에 오른 솜은 꺄르르, 꺄르르 웃고 있는 친구들의 모습에 활짝 웃었다.

"소먀!"

"안녕, 안녕?"

그렇게 솜이가 의자에 앉아 안전벨트를 차자 버스도 출발을 했다.

그러자 솜이는 얼른 가방 속에서 작은 스케치북과 크레파스를 꺼내 들었다.

"솜아, 또 그거 그려?"

"그거 아니거든? 내 친구거든? 음…… 오늘은 이거다!"

분홍색 크레파스를 꺼내 든 솜이는 빠르게 그림을 그린 후 그 밑에 글을 쓰기 시작했다.

"솜의 친구를…… 찾습…… 니다……."

옛날에 잃어버린 소중한 친구.

"흑!"

문득 떠오른 친구의 모습에 눈을 비빈 솜이는 다시 한 글자, 한 글자 또박또박 쓰기 시작했고, 그런 솜이의 사정을 동료 선생에게 대충 들어 알고 있는 선생님은 안타까워 한숨을 폭 내쉬었다.

'얼마나 좋았으면 1년이 넘은 지금까지 찾는 걸까? ……그런데 인형일까, 고양이일까?'

어쩌면 아주 못생긴 무언가일 수도 있었다.

'발 달린 꿈틀이 인형인가?'

그녀는 오늘도 고개를 모로 기울였다.

"설이 빠빠."

"빠빠."

"선생님도 빠빠."

"빠빠. 솜아, 내일 보자."

"네!"

"솜아!"

"엄마!"

버스에서 폴짝 뛰어내린 솜은 양팔을 벌리는 엄마를 향해 뛰어가 안겼다.

'피. 담배 냄새.'

언제나 엄마와 아빠는 몸에 담배 냄새가 배어 있다.

엄마는 다른 사람이 펴서 어쩔 수 없다고 하지만, 어른들이 왜 담배를 피우는지 모르는 솜은 그저 싫을 뿐이다.

하지만 그보다 엄마의 품이 행복하기에 참을 뿐이다.

"우리 솜이 오늘 유치원은 재미있었어?"

"응! 오늘 무슨 일이 있었냐면……."

재잘재잘 두 모녀는 양손을 꼭 잡은 채 집 안으로 들어갔다.

삐리릭!

“우리 솜이 밖에 나갔다 오면 뭐부터 해야 한다고 했지?”

“손부터 씻어야 합니다!”

신발을 가지런히 정리한 솜이는 화장실로 향했고, 그 모습을 보며 솜이의 어머니는 행복한 한숨을 내뱉었다.

“정말 행복유치원에 보내길 잘했어.”

다른 엄마들 말을 종합해 보면 저 나이 때 아이는 뭘 정리하기는커녕 떼만 쓴다는데, 딸 솜이는 저렇게 야무지게 해야 될 일부터 척척 해낸다. 모두 행복유치원에 다니기 시작한 지 몇 달 만에 이뤄진 결과였다.

지이잉! 지이잉!

“네, 대리님! 지금이요?”

낯빛이 어두워진 그녀는 얼른 거실에 있는 컴퓨터로 향했다.

달칵!

“휴우.”

차가운 손을 비비며 밖으로 나온 솜은 통화를 하고 있는 엄마를 힐끗 보곤 능숙하게 냉장고를 열어 오후 간식을 꺼내 먹었다.

귤 하나, 사과 한 조각, 빼빼로 네 개, 그리고 브로콜리 한 조각.

브로콜리는 슬그머니 숨긴 솜은 식탁에 올려진 책을 보

곤 눈을 빛냈다.

"아빠 책이다. 아빠가 오늘 저녁까지 가져다주랬는데?"

솜은 엄마를 봤다.

이젠 전화기를 귀와 어깨 사이에 낀 엄마는 컴퓨터도 두드리고 있었다.

눈을 데구루루 굴리던 솜은 식탁 위에 유치원 가방을 발견하곤 눈을 빛냈다. 그러며 다시 엄마를 본 솜은 냉큼 가방을 어깨에 멨다.

"엄마! 아빠 책 가져다주고 올게요!"

"으, 응. 엄마 바쁘니까 그래줄래? 가져다주고 바로 와야 돼?"

"네!"

"……응?"

솜이의 어머니가 뭔가 이상해서 고개를 돌릴 때 솜은 이미 현관에 있었다.

"재가 왜 가방을…… 아뇨, 네! 듣고 있어요, 대리님!"

'별일이야 있겠어?'

어차피 집 근처 책방에 다녀오는 것뿐이다.

이젠 곧잘 슈퍼 심부름도 잘하는 솜.

솜의 목에 걸린 목걸이를 본 그녀는 신경을 끄며 전화에 집중했다.

띠리릭!

"히히. 성공."

가끔 엄마가 통화를 하기 시작하면 1시간은 지난다.

즉, 이제부터 솜의 시간.

엄마랑 아빠가 좋아하지 않는 친구를 찾아야 할 시간이었다.

'처음엔 같이 찾았으면서…… 엄마, 미안!'

이솜은 세차게 뛰는 가슴을 토닥이며 책방으로 향했다.

"안녕히 계세요!"

"그래, 솜이도 살 가렴? 미끄러지지 않게 조심하고."

"네!"

책방을 나온 솜은 얼른 가방을 열어 스케치북을 꺼냈다. 그러곤 근처 전봇대로 도도도 뛰어갔다.

"여기에 붙이는 거랬어!"

엄마랑 아빠도 그랬고, 다른 아저씨, 아줌마들도 그랬다. 누굴 찾으려면 전봇대에 붙이는 거랬다.

부우욱!

그림과 친구를 찾는다는 글이 써진 스케치북을 찢은 솜은 전봇대에 탁 하고 붙였다.

하지만…….

"잉? 아, 안 돼!"

탁 붙지 않고 팔랑거리며 떨어지는 스케치북.

냉큼 주운 솜은 다시 전봇대에 탁 하고 가져다 댔다.

그러나 스케치북은 다시 떨어져 내렸다.

"히잉. 아빠는 이렇게 붙였는데."

왜 내 건 안 붙는 걸까.

친구를 찾아야 하는데 왜 전봇대는 도와주지 않는 걸까.

속이 상한 솜이의 얼굴이 일그러졌다.

그때였다.

"뭐가 안 되니?"

머리 위에서 들리는 목소리에 고개를 든 솜은 화들짝 놀랐다.

"안녕하세요!"

"그래, 안녕? 아저씨 알지?"

"네! 문방구 할아버지요!"

솜이가 사는 아파트 근처에서 팬시점을 운영하는 오십대 장년인.

솜이도 그곳에서 인형이나 예쁜 크레파스를 산 적이 있기에 아주 잘 안다.

"어이구, 잘 아네. 무슨 일인지 모르겠지만 아저씨가 도와줄까?"

순간 솜이의 눈이 흔들린다.

'선생님이랑 엄마가 모르는 아저씨는 따라가면 안 되는 거랬는데.'

하지만 모르는 아저씨가 아니다. 크레파스를 사면 귀여운 열쇠고리를 주는 좋은 아저씨다.

"감사합니다!"

"그래?"

순간 장년인의 눈이 빛난다.

"아저씨가 뭘 도와주면 될까?"

장년인의 눈이 붉게 달아오르며 함박웃음을 지었다.

* * *

“다 됐다!”

“와아! 감사합니다!”

“그런데 우리 솜이는 누굴 찾는 거야? ……인형?”

“솜이 친구요!”

“친구?”

“네! 엄청 오래전에 사라진 솜이 친구! 솜이 동생! 찾아야 해요!”

‘동생?’

다시 아이가 괴발개발 그린 그림을 본 장년인은 이내 어깨를 으쓱이며 솜이를 봤다.

‘흐흐.’

그의 숨소리가 순간 거칠어진다.

몇 개월일까. 솜을 발견하고 친해지기 위해 공을 들인 시간이.

“솜아, 많이 춥고 힘들지?”

“네에…….”

이 추운 날, 유치원 원복만 입은 채 밖으로 나온 솜이다.

그제야 몸이 추운 걸 알아차린 솜은 부르르 떨었고, 장년인은 우는 듯 웃는 듯 괴상한 표정으로 얼른 솜이의 얼굴과 손을 만졌다.

“아저씨 가게에서 좀 쉬고 갈래?”

고작 몇 미터 밖에 있는 그의 팬시점.
"음, 네!"
"후욱! 그럼 갈까?"
"네!"
솜은 아저씨의 손을 잡고 팬시점으로 향했다.
겨울인 데다 저녁이 다 돼서 그런지 손님 하나 없는 팬시점.
딸랑, 달칵!
"응?"
뭔가 잠기는 소리에 고개를 돌린 솜의 모습에 장년인은 "왜?" 하며 물었고, 솜은 이내 고개를 저었다.
장년인의 미소는 더욱 거칠어졌다.
"자, 솜아. 이리로 올래?"
장년인은 솜을 안쪽의 공간으로 데려갔다.
창고 겸 그가 가끔 쉬는 공간.
싸늘한 냉기가 스미자 솜이 몸을 움츠렸지만, 장년인의 숨결은 점점 더 거칠어진다.
'조금만. 조금만 더.'
참아야 한다.
이를 악문 장년인은 솜을 라꾸라꾸 침대로 이끌어 앉히고 전기난로를 켰다.
"어이구. 몸이 찬 것 좀 봐. 솜아, 그거 아니?"
"뭘요?"
"원래 몸이 이렇게 차면 옷을 벗고 이불을 꽁꽁 감싸야 하는 거야. 자, 아저씨가 벗겨 줄게? 만세?"
"왜요?"
"원래 그래야 하는 거야."
"싫은데요? 선생님이 아빠, 엄마랑 함께 있을 때 말고는 옷 벗는 거 아니랬어요."
"그러다 감기 걸리는데?"
"……그래도 싫어요."
"하."
'이 앙큼한 것.'
참고 싶었다. 웬만하면 좋게 부드럽게 풀어 나가고 싶었다.
그게 솜이도 즐길 수 있기에. 자신만 즐겨선 안 되기에.
그런데 이 쪼끄만 것이 계속 사람의 마음을 건든다.
더 이상 참지 못할 것 같았다.
'그래, 너도 힘으로 하는 게 좋다는 거지? 나도…….'
"그게 좋단다."
결국 흉악한 미소가 피어난 장년인은 침대에 놓인 베개 아래로 손을 쑥 집어넣어 잡히는 걸 꺼내 들어 솜의 목에 가져갔다.
"흡?!"
"솜아, 이게 뭔지 아니?"
칼이다.
'아, 아픈 칼.'
엄마를 도우려다 크게 베여 많이 아픈 경험이 있는 솜.

순간 솜의 온몸이 차가워진다.

"흐흐. 그래, 아저씨가 아프지 않게 해 줄게. 자, 이제 만세?"

"아, 아저씨, 왜 이러세요. 솜이 갈래요!"

"만세-!"

움찔!

"시, 싫어!"

눈을 질끈 감은 솜은 인형과 목걸이줄을 양손에 쥐며 쭉 잡아당겼다.

삐이이이이이이잉!

"으악!"

갑자기 코 앞에서 터진 큰 소리에 귀를 막았던 장년인은 이내 상황을 파악하고 얼굴을 와락 구겼다.

"이, 이 영악한 꼬맹이가!"

힘으로 하는 걸 좋아하는 게 아니었다. 전의 다른 아이처럼 반항하는 것이었다.

순간 그의 눈에 공포와 살의가 피어났다.

"내가 얼마나 잘해 줬는데! 너도 웃어 줬잖아!"

눈이 뒤집힌 그는 손을 번쩍 들었다.

하지만 솜은 이미 귀를 막고 눈을 감은 채 숫자를 세고 있었다.

"하, 하나. 둘……."

그 순간이었다.

꽈아앙!

"흡?!"

멀리서 뭔가가 폭발하는 소리가 들리더니 몇 초도 안 되어 다시 창고 문이 터지듯 날아가며 누군가 들어온다.

"솜이 눈 감아."

따뜻하게 퍼지는 목소리에 솜은 눈을 질끈 감았다.

* * *

덜컹덜컹!

열리지가 않는다.

놈이 문을 잠그며 솜을 안쪽으로 데려가는 걸 본 순간 달려온 종혁과 최재수.

"어, 어쩌죠? 어떡해요!"

최재수가 패닉에 빠진다.

그때였다.

"최재수, 비켜."

일명 이솜 사건. 대한민국 아동 성범죄에 경종을 울린 사건이자 많은 법률을 개정한 사건이다.

지금 이 사건을 막는다면 본래 진행되어야 할 법률의 개정이 늦어질지도 모르지만…….

삐이이이이!

일단 눈앞의 피해자를 구조하는 게 우선이었다. 뒷일은 나중에 생각해도 됐다.

피가 나도록 이를 악문 종혁은 한 발 뒤로 물러서며 전력을 다해 유리문을 후려쳤다.
꽈아아앙!
산산이 부서지는 문.
그 유리 파편이 땅에 닿는 시간도 아까운 종혁은 안으로 달려 들어갔고, 가게 가장 안쪽에 있는 문마저 걷어찼다.
꽈아앙!
안으로 난입한 종혁은 눈 속을 파고드는 광경에 눈시울을 붉혔다. 바지를 반쯤 벗은 개새끼와 한구석에 웅크려 있다가 고개를 드는 솜이.
깜짝 놀랐던 얼굴이 이내 기쁨으로 바뀌고 설움으로 물들어 간다.
"……솜이 눈 감아."
솜이 눈을 질끈 감자, 종혁은 칼을 들고 있는 놈을 보았다.
"누, 누구야! 당신들은 뭐야!"
"최재수, 솜이 보호해."
"예!"
최재수가 놈의 곁을 지나치려 하자 놈이 기겁하며 칼 든 손을 휘두른다.
"이 개새끼야!"
느려진 시간 속 종혁은 그대로 달려가 그 팔을 후려쳤다.
뿌가아악!
"어?"
장년인은 팔 밖으로 튀어나온 허연 것에 눈을 껌뻑였다.

하지만 그것도 잠시다.

"……끄아아아아아아악!"

팔을 붙잡은 채 무너지는 개새끼.

종혁은 잠시 최재수를 봤다.

"솜이 눈하고 귀 막았어?"

"예, 막았습니다. 쉬쉬. 이제 괜찮아."

잘했다. 이제부터 시작될 건 어린아이 관람 불가이기에 절대적으로 잘 이행했다.

종혁은 바닥을 뒹구는 개새끼를 향해 입을 열었다.

"박희열, 너를 아동 성폭행 현행범으로 체포한…… 어?"

순간 뭐에 걸린 듯 앞으로 고꾸라지는 종혁.

그런 종혁의 주먹이 땅바닥을 찍어 버리듯 사내의 사타구니 안으로 빨려 들어간다.

콰지직!

"……!"

소리가 없는 비명. 입을 벌린 채 그대로 굳어 버린 장년인을 보며 종혁이 입술을 사납게 비틀었다.

"아. 미안하다, 씹새야."

종혁의 얼굴엔 옅은 후련함이 감돌고 있었다.

* * *

삐용삐용삐용.

빨갛고 파란 등이 반짝이고, 노란색 폴리스 라인이 사

람들의 접근을 막는다.
"어이고, 저 썩을 놈!"
"우리 애도 저기서 볼펜 샀는데!"
"저런 개새끼가 근처에 있었다니!"
성토하는 목소리가 쏟아지는 현장.
"다 터진 것 같습니다!"
"일단 옮겨!"
신고를 받고 출동한 관할 경찰서 형사는 들것에 실려 구급차로 향하는 놈을 보며 표정을 일그러뜨렸다.
"오우……."
치료를 마친다고 해도 평생 장애를 입을 오른팔과 평생 호스를 끼고 살아야 하는 거시기.
같은 남자이기에 괜히 온몸에 소름이 돋았다.
하지만…… 후련함이 만 배 더 컸다.
혀를 내두른 관할 경찰서 형사는 종혁에게 다가갔다.
"아이고. 어쩌자고 저랬어, 후배님."
본청의 엘리트 간부다.
놈을 저런 병신으로 만들어 놨으니 분명 과잉 진압으로 징계를 받게 될 터. 그는 그게 안타까웠다.
"하하. 눈이 홱까닥 돌아 버려서……. 그래도 그렇게 했을 만한 상황이었습니다. 증거도 있습니다."
"증거?"
종혁은 바디캠 메모리와 솜의 방범 목걸이 메모리를 넘겨주었다. 정당성을 확보하기 위해 최재수의 손에 들려

줬던 바디캠.

“이 안에 다 있습니다. 놈은 날 길이 20센티의 흉기로 피해자인 여기 이솜과 저, 최재수 경장을 위협했고, 저와 최재수 경장은 상황이 급박해 일단 제압을 하게 됐습니다.”

그러다 힘이 과해 놈의 팔을 부러트렸고, 수갑을 채우려 다가가다 넘어지면서 우연히 놈의 사타구니 안쪽을 찍어 버렸다.

“아, 우연히?”

“예. 어디까지나 우연히요. 안 그래도 징계 중인데 사고를 칠 순 없잖습니까.”

“맞네. 징계가 정말이라면 떨어지는 낙엽도 조심해야 될 시기지.”

고개를 끄덕인 형사는 문이 닫히는 구급차를 봤다.

“거…… 그 우연이 저놈에게는 참 불운이네.”

의미심장하게 웃은 형사는 뒷일은 맡겨 달라며 종혁의 어깨를 두드리곤 돌아섰고, 종혁은 품에 꼭 안긴 채 최재수와 놀다가 이쪽을 빤히 보는 솜의 모습에 고개를 모로 기울였다.

“왜?”

“진짜 왔어요. 선생님이 목걸이 잡아당기면 백 번 세기 전에 온다고 했는데!”

“그럼. 우리 경찰은 언제나 솜이의 근처에 있거든.”

“정말요?”

종혁은 어두운 티가 티끌조차 보이지 않는 솜의 눈을 보며 다시 한번 다행이라고 생각했다.

"당연하지. 그렇다고 아무 때나 부르면 안 된다? 양치기 소년 알지?"

찔끔.

정말 그럴 생각이었는지 몸을 움츠린 솜은 고개를 빠르게 끄덕였다. 종혁은 그런 솜의 볼을 쓰다듬으며 어이없어했다.

"헤헤. 그런데 아저씨."

"응?"

"솜이가 솜이인 줄은 어떻게 알았어요?"

움찔!

"겨, 경찰 아저씨는 모든 걸 다 알거든."

솔직히 이건 좀 찔린다.

하지만 그걸 모르는 솜은 우와아 놀라는 얼굴이 됐다.

"정말요? 정말 다 알아요? 그럼 솜이 친구가 어디 있는지도 알아요?"

"솜이 친구?"

"네! 흰둥이요!"

'아, 맞아.'

이솜은 친구를 찾기 위한 전단지를 붙이다가 실종되었다.

'그게 강아지였나.'

회귀 전 솜이가 붙였다던 전단지를 본 종혁은 영락없이 발 달린 꿈틀이 인형이라고만 생각했다.

"음. 그게 솜이야……."

"피. 선생님이 거짓말하면 나쁜 사람이라고 했는데……."

"끙."

"그래도 봐줄게요! 솜이를 구해 줬으니까!"

"……그래, 고맙다. 대신 아저씨가 솜이 친구를 꼭 찾아 줄게."

"약속?"

"약속."

새끼손가락이 걸리자 솜이의 얼굴에 배시시 웃음꽃이 핀다.

그와 함께 종혁의 가슴에 남아 있던 일말의 불안이 씻겨 사라진다.

"소, 솜아!"

"소미야!"

"엄마! 아빠!"

냉큼 종혁의 품에서 뛰어내리더니 부모에게 달려가 안기는 솜.

그제야 완전히 안심이 됐는지 왜 모르는 사람을 따라갔냐 타박하는 손길에 울음이 터진다.

"흐흐."

"왜?"

"아뇨. 저런 딸을 키우고 싶어서요. 애가 참……. 팀장님은 그런 생각 안 드세요?"

"솜이 같은 딸?"

누가 저런 딸을 마다할까.

하지만 목표를 이룰 때까지 저런 딸을 볼 일은 없다고 봐야 했다.

“현장 다 정리됐지? 빠트린 건 없고?”

“예, 없습니다. 방금 전 팀장님이 인계한 복사 메모리만 받으면 돼요.”

뭘 믿고 원본을 건넬까.

방범 목걸이가 녹음한 파일도 따로 받아 둔 뒤였다.

“그럼 가자. 너 스타일 봐줘야지.”

“예? 이런 일이 있었는데요?”

“특별한 일은 아니잖아?”

일상이다. 이렇게 개 같고 좆같아도 하루에도 몇 번씩 일어나는 일. 그렇게 특별하지 않기에 언제나 지켜야 하는 일이다. 목숨을 걸어서라도.

그런데 왜일까. 마치 사건은 이게 끝이 아니라는 듯 코가 간질거리고 있다.

‘그래서 복사본을 만든 거였는데…… 쯧. 모르겠군.’

종혁은 고개를 저으며 차로 향했고, 순간 몸을 멈춘 최재수는 오늘따라 더 커 보이는 종혁의 모습에 잠시 넋을 놨다.

‘언젠간 나도 꼭 저렇게 말을 할 수 있는…….’

종혁이 들었다면 그만큼 범죄가 일어나길 바라냐며 언어맞을 생각을 한 최재수는 같이 가자고 소리치며 종혁의 뒤를 쫓았다.

* * *

—아저씨! 흰둥이 찾았어요?

"끙. 미안해, 솜아."

—힝. 알았어요. 아, 맞아. 오늘 유치원에서 어떤 일이 있었냐면요…….

종혁은 오늘도 시작된 솜이의 수다에 맞장구를 쳐 주며 헤벌쭉 웃다가 전화를 끊었다.

"또 그 솜이란 아이야?"

"예."

"큭큭. 수고해라. 사춘기 되면 적당히 끊고."

오택수가 무슨 말을 하는지 알아차린 종혁은 순간 얼굴을 구겼다.

가끔 구해 준 피해자와 결혼을 하는 경찰들이 있다. 피해자가 먼저 반했든, 그 반대의 경우든.

그렇다 보니 열 몇 살 차이가 나는 커플이 생기기도 한다.

"이제 6살입니다, 이 양반아."

"아, 그랬어? 나만 빼고 해결한 사건이라 몰랐네?"

"에라이."

얼굴은 산적 저리 가라인 사람이 속은 왜 저리도 좁을까.

고개를 저은 종혁은 다시 입을 열었다.

"그보다 그건 어떻게 됐어요?"

하루에도 몇 건씩 올라오는 도박 신고.

대부분은 쩜 10원, 쩜 50원 고스톱을 치던 동네 아줌마 할머니들이 분을 못 이겨 신고하는 경우지만, 그중엔 그 수준을 벗어난 전문 도박판에서 금전적, 신체적 피해를 입고 신고하는 경우도 존재한다.

그런데 이마저도 보통 관할서 선에서 마무리가 지어지는데, 가끔 이런저런 이유로 그러지 못하는 경우가 있다.

뒷돈을 받고 협력을 하는 견찰 때문에 경찰이 덮치기 전 도망을 친다든가, 아니면 경찰 무전을 도청해 먼저 도망을 친다든가.

이런 놈들은 잡기가 여간 힘든 게 아니다.

종혁은 그런 사건이 있는지 알아보라고 이야기해 놓은 참이었다.

"어. 안 그래도 꼬리를 하나 잡은 것 같기는 해."

종혁은 눈을 빛냈다.

"뭔데요?"

"이것 좀 봐 봐."

오택수가 내민 서류들을 훑어본 종혁은 고개를 모로 기울였다.

"철용이 돌아왔어요? 빨래질 당해서 나가리 됐지 않았어요?"

보통 불법 도박을 하우스도박이라고 하는데, 고철용 이 놈은 정말 농촌의 비닐하우스에서 판을 벌인다.

산기슭이나 사방이 탁 트인 논밭 등 경찰이 진입하기 힘든 장소에 판을 깔다 보니, 신고를 받고 놈들을 덮칠

때쯤이면 이미 도박꾼들은 다 날라 버린 뒤다.

이게 놈의 수법이다.

경찰의 오랜 골칫덩이 중 한 놈인데, 2년 전 어떤 타짜에게 된통 걸려 강제 은퇴를 당한 후 필리핀으로 도주했다.

"어. 아무래도 그놈 패거리에 있던 놈 같아."

"……음. 그럴 확률이 높네요."

그게 아니라면 이렇게 규모가 작을 일이 없다.

보통 수백 명씩 모아 놓고 판을 벌였던 고철용.

그런데 신고된 내용을 보니 함께 도박한 사람이 30명 내외다.

전 재산을 잃었다며 신고한 액수도 5백만 원에서 2천만 원 수준.

고철용은 이런 가난한 호구를 판에 앉힐 만큼 저렴한 놈이 아니다.

"어떡할까? 광수대로 넘길까?"

"예? 저희가 안 따고요?"

오택수는 한심한 말을 하는 최재수를 일견하다 종혁을 바라봤다.

"이 자식 잘하고 있다면서?"

"……쩝. 죄송합니다."

"아, 또 왜 그렇게 말하시는데요! 내가 또 뭘 잘못했는데!"

"어떻게 딸 건데? 그 많은 대가리를 우리 세 명이서 어떻게 딸 건데, 이 시키야!"

"당연히 관할서에 병력 요청해야죠!"

최재수는 내 말이 틀렸냐는 듯 노려봤고, 오택수는 오 하며 감탄을 했다.

"그러다 검거 계획이 새어 나가면?"

"예?"

"그 관할서에 놈들 쁘락지가 없다고 장담할 수 있어?"

어떤 이유라도 검거에 실패한 순간 그 피해는 팀장인 종혁에게로 향한다.

"……."

"아오! 진짜 이걸 다시 중경에 처박을 수도 없고!"

종혁은 피식 웃음을 흘리곤 오택수를 봤다.

"광수대로 넘기죠. 대상 렌트카 게이트로 도움받은 것도 많으니까요."

"오케이."

오택수는 컴퓨터를 두드리기 시작했고, 그런 그를 눈치 보던 최재수는 슬그머니 종혁의 옆으로 왔다.

"그런데 흰둥이를 찾을 수 있을까요?"

"……거의 불가능한 일이지."

사람 실종이 아닌 강아지 실종에다가 무려 1년 전에 발생한 사건이다.

CCTV 영상조차 없고, 주변 탐문 결과 기억하는 사람도 없다. 더욱이 흰둥이는 주소가 적힌 목줄도 없던지라 목격자라도 나타나면 다행인 상황이었다.

"뭐. 현수막이랑 전단지를 쫙 깔아 놨으니 거기에 기대를 걸어 봐야지. 근데 왜?"

"아, 아닙니다."

누군 도박꾼 패거리를 검거하는데, 누군 강아지 실종을 조사한다. 솔직히 의욕이 날 수가 없는 상황이다.

하지만 그걸 입 밖으로 말했다간 왜인지 쌍욕이 날아올 것 같았기에 최재수는 입을 다물기로 했다.

지잉! 지이잉!

"저, 전화 왔습니다, 팀장님."

"흐음."

'표현해도 상관없는데.'

베테랑인 종혁이 최재수의 생각 하나 짐작 못할까.

종혁도 솜이와의 약속을 지키기 위해 시간을 할애하는 거지, 아니었다면 강아지 실종은 생각조차 하지 않았을 것이다.

종혁은 슬그머니 멀어지는 최재수의 모습에 피식 웃음을 흘리곤 전화를 받았다.

"예, 특별수사팀 최종혁 경감입니다."

—아, 전단지를 보고 연락드렸는데요.

"전단지요?"

—네. 강아지를 찾는다고 하시지 않았나요?

움찔!

종혁을 재빨리 메모지를 찾았다.

"아, 예! 맞습니다. ……예?"

이야기를 전해 듣던 종혁의 표정이 점차 딱딱하게 굳어갔다.

썩 바라지 않은 상황으로 흰둥이 실종 사건에 진전이 생겼다.

* * *

서울 근교의 한 작은 마을.

녹이 잔뜩 슨 대문 앞에 선 종혁이 누군가와 통화중이다.

—크! 내가 진짜 한턱 쏜다!

"하하. 저 말고 오택수 경감에게 고맙다고 해 주세요."

—아, 그랬어? 오 경감이 준 거였어?

오택수에게 사건을 토스받은 광수대는 곧바로 검거에 나섰다.

정말 고철용이 돌아온 게 아니라는 듯 놈들은 신고자가 도박을 했다는 그 장소에서 다시 판을 벌였고, 특공대와 협력한 광수대는 그들을 모두 일망타진할 수 있었다. 도박을 하던 호구들까지 모두 말이다.

그게 바로 어제 새벽에 일어난 일이었다.

"지금 옆에 있으니까 바꿔 드릴게요. 오 경감님, 받아 보세요. 광수대 대장님이요."

"오케이."

핸드폰을 받아 든 오택수가 옆으로 비켜서자 종혁은 대문을 두드렸다.

쾅쾅쾅!

"계십니까? 계세요?!"

“웡! 웡!”

“워우우우!”

순간 안에서 터져 나오는 개 짖는 소리에 최재수가 화들짝 놀라 물러선다.

“까, 깜짝아!”

한심하다는 듯 쳐다본 종혁은 다시 문을 두드렸다.

하지만 안에서는 묵묵부답이었다.

“어디 갔나?”

지금 만나려는 사람의 직업 특성상 그럴 확률이 높긴 하다.

개장수.

목격자의 진술에 의하면 흰둥이를 데려간 사람은 개장수였고, 조사 결과 이곳에 적을 둔 개장수임이 밝혀졌다.

그래도 혹시 모르기에 종혁은 다시 문을 두드리려 손을 들었다.

그때였다.

“누구요?”

작고 허름한 택트 원동기를 끌고 와 멈춘 사십대 사내가 경계심 어린 눈으로 쳐다본다.

“아, 형사입니다.”

“어이쿠!”

종혁이 보여 주는 경찰공무원증에 황급히 오토바이에서 내리는 사내.

“근데 형사님들께서 만득이 아저씨를 왜…….”

"뭔가 여쭙고 싶은 게 있어서요."

"아, 설마 그 형님 또 주인 있는 개 데리고 왔습니까?"

종혁은 눈을 빛냈다.

"그런 일이 자주 있나 봅니다?"

"1년에 몇 번 있죠. 그 형님이 원래 촉이 좋아서 주인 있는 개, 없는 개를 잘 구분을 하는데 술을 워낙 좋아해서……. 제 말 무슨 말인지 아시죠?"

"어휴. 만득 씨 때문에 동네가 시끄럽겠네요."

"이렇게 떨어진 곳이라 그렇지는 않지만 뭐…… 근데 형님 없습니까?"

"예. 문을 두드리는데도 인기척이 없으시네요?"

"희한하네. 그 형님이 이 시간에 없을 리 없는데…… 개 잡으러 갔나?"

고개를 모로 기울이는 그의 모습에 종혁은 속으로 한숨을 내쉬었다. 안 그래도 종혁도 같은 생각이었던지라 오늘은 연락처만 남기고 내일 다시 찾아올 생각이었기 때문이다.

'문제는 만날 수가 있냐는 거지.'

원래 개장수는 반쯤 불법을 저지르는 사람들인데, 말을 들어 보니 음주운전도 자주 하는 것 같다.

연락처를 남긴다고 해도 연락을 할 리가 없다.

그리고 혹여 만난다고 해도 문제다. 벌써 1년 전에 있었던 일이다. 기억을 하고 있을 리가 없었다.

"잠시만요? 내가 형님한테 연락해 볼게요."

사내는 종혁이 말리기도 전에 전화를 걸었고, 이내 고개를 모로 기울였다.

"꺼져 있네요?"

"아, 그런가요. 협조 감사합니다."

"아뇨. 뭐 협조랄 게 있나요. 오늘 정 만나야겠으면 안에 들어가서 기다려 봐요. 오늘이 개 잡으러 간 날이면 한두 시간 후에 돌아올 테니까."

"하하. 예, 감사합니다. 수고하세요."

고개를 끄덕인 사내는 수고하라는 말을 남기며 다시 오토바이를 타고 사라졌고, 그사이 전화를 마친 오택수는 광수대 대장에게 뭘 받기로 했는지 희희낙락한 표정으로 입을 열었다.

하지만 그 입은 굳어 있었다.

"어떡할래? 들어갈 거야?"

"……아니요. 오늘은 돌아가죠."

"왜요? 그냥 차에서 기다리면 되지 않아요? 아, 혹시 개 싫어하세요?"

"그래. 잘 생각했다. 가자."

"뭐야. 오 경감님도 싫어하십니까? 이거, 이거 다 큰 사람들이……."

빠악!

"악! 또 왜 때리는데요!"

"맞을 만하니까 때리지, 이 새끼야! 넌 저 안에…… 아니다. 됐다. 말해 뭐하냐."

"아, 뭔데 또! 왜 또 둘만 아는 건데!"

최재수는 둘을 따라붙으며 짜증을 부렸지만, 둘의 입은 열리지 않았다.

그리고 며칠이 흘렀다.

* * *

"후. 안 오네."

"그러게요."

지난 며칠간 연락은커녕 마주치지조차 못하고 있다.

오늘도 개들이 웡웡 짖는 소리가 터져 나오는 대문을 바라보던 종혁은 어쩔 수 없다는 듯 한숨을 푹 내쉬었다.

"안에 들어가서 기다리죠."

정말 들어가기 싫지만 이젠 이 방법밖엔 없는 것 같았다.

제아무리 대상 렌트카 게이트 때문에 특별수사팀이 몸을 낮추고 있어야 하는 상황이라지만 이 이상 시간을 할애할 순 없었다.

"난 밖에서 기다리고 있을게. 혹시라도 도망치면 안 되잖아."

"혼자만 빠져나가시게요?"

"그동안 연락이 안 온 것 보면 찔리는 게 있단 소리 아니겠냐?"

오택수의 노림수가 빤히 보이지만, 맞는 말이기에 반박을 할 수 없는 종혁은 두고 보자고 노려보며 대문을 열었다.
최재수는 그런 둘의 모습에 '이런 겁쟁이들'이라고 히죽히죽 웃으며 뒤따랐다.
그게 큰 착각이었다는 것도 모른 채 말이다.
"웡! 웡!"
"워우우우우우!"
"으르르르르!"
낯선 냄새가 가까워지자 더 사납게 짖기 시작하는 개들.
그 소리가 너무 크고 묵직해 최재수도 슬쩍 긴장을 한다.
하지만 그것도 잠시, 마당 따윈 관리할 생각도 없는지 사람 키보다 높은 잡초들 뒤로 보이는 광경에 최재수는 그대로 얼어붙고 말았다.
"아, 아니……."
지상에서 1.5미터 정도 떨어진 철창에, 대형견은 몸을 움츠리는 게 전부일 것 같은 좁은 철창에 깡마른 개들이 가득하다.
바닥도 철창인 그 이상한 감옥 같은 우리에.
그뿐만 아니다. 잘못 본 게 아니라면 몇몇 철창 아래에, 분뇨가 가득한 그곳에 핏덩어리들이 있다.
굳어 있는 것도 있고, 꿈틀거리는 것도 있다.
"욱?!"
"깨앵! 깽!"
순간 최재수가 크게 움직이자 꼬리를 말며 구석에 몸을 숨기려 애쓰는 개들. 덩치만 보면 최재수도 물어 죽일 것 같은 개들이 공포에 질려 분뇨를 지린다.

"이, 이게 뭡니까?"

"나랑 오 경감님이 들어오기 싫었던 이유."

"이, 이게 뭐냐고요-! 우웨에엑!"

결국 오바이트를 쏟아 내는 최재수의 모습에 종혁은 담배를 물었다.

이래서 들어오기가 꺼렸던 거다.

넓은 마당을 뛰어 놀아도 부족한데, 이토록 좁은 감옥에 갇혀 태어나고 살아가다 죽어야 하는 이 처참한 모습들을 보기가 싫어서.

살의가 머리끝까지 솟는데, 정작 이 참상을 만든 놈을 털끝조차 건드릴 수가 없어서 들어오기가 싫었던 것이다.

"깨앵, 깽!"

"씨발. 진짜 다 죽여 버리면 속이 시원할 텐데……."

철창 안으로 뻗은 손을 거둬들인 종혁은 솟구치는 짜증에 머리를 벅벅 긁다가 뭔가를 발견하곤 미간을 좁혔다.

"어? 이거 왜 이래?"

철창 안에 놓인 물그릇이 모두 비어 있다.

'설마?'

만득이라는 개장수의 거처로 보이는 집으로 이곳저곳을 살핀 종혁은 한숨을 푹 내쉬었다. 그러곤 핸드폰을 들었다.

"예, 수고하십니다. 교통사고 기록 좀 조사하고 싶은데요. 이름 오만득. 주소지랑 주민등록번호, 차량과 차량

번호가…….”

음주운전을 자주 한 것으로 추정되는 오만득.

사람의 온기가 모두 가신 안방이나 여기저기 쌓인 먼지, 그리고 결정적으로 사료 포대가 하나도 없는 걸 보니 아무래도 교통사고를 당한 것 같았다.

“예. 부탁…… 예? 어디요?”

미간을 좁혔던 종혁은 허탈하게 웃었다.

‘네가 거기 왜 있어?’

종혁은 꼬여 버린 상황에 다시 머리를 벅벅 긁었다.

* * *

“너 내가 누군지 알아? 공손하게 말 안 해?!”

“내가 그런 거 아니라니까요!”

“조용히 하세요! 조용히!”

문밖으로 온갖 고성이 흘러나오는 광역수사대의 문 앞에 선 종혁은 한숨을 푹 내쉬었다.

오만득이 있는 곳이 바로 여기였기 때문이다.

얼마 전 일망타진 된 도박꾼 패거리.

거기에 이 인간이 있었다.

“돌겠다, 진짜.”

하지만 이대로 돌아갈 수도 없는 일.

‘그래, 솜이를 위해서니까.’

종혁은 머리를 긁으며 사무실 안으로 들어갔다.

"충성."

광수대 대장은 사무실 안쪽을 가리켰다.

"저기다 데려다 놨으니 물을 거 물어봐."

"감사합니다."

"뭘. 서로 돕고 사는 거지. 가 봐."

"충성."

안쪽의 회의실로 들어가니 코가 빨갛고 눈이 충혈된 오십대 장년인 오만득이 건방진 자세로 의자에 앉아 있었다.

"뭐야? 커피는? 안 줘?"

'그래, 내가 너 그럴 줄 알았다. 그런데…… 음?'

종혁은 한껏 거만한 눈으로 바라보는 오만득의 전신을 살피다 피식 웃었다.

'아, 그랬어?'

"유치장 친구들에게 뭘 많이 들으셨나 봐요, 오만득 씨."

눈동자와 손끝이 쉴 새 없이 흔들리고, 얼굴에서 식은 땀이 흐른다. 억지로 허세를 부리는 거다.

사나운 도사견들도 눈빛으로 제압하는 개장수임에도, 그만큼 죽음과 밀접한 개장수임에도 이렇게 겁먹은 이유는 아마 하나일 거다.

"유치장에 갇힌 동안 술 생각이 많이 나셨죠?"

움찔!

노랗게 뜬 얼굴이나 눈, 수전증 등 모두가 알콜 중독 증상을 가리켰다.

어디 죽음과 함께 사는 개장수가 유치장에 갇혔다고 겁

을 먹을까.

같은 방에 살인자가 있어도 그러려니 하려는 인간들이 바로 개장수다. 특히 그런 처참한 환경을 만들 정도라면 오만득은 이미 인간 말종이라고 봐야 했다.

종혁은 그의 맞은편에 앉으며 말을 이었다.

"그런데 유치장에 같이 갇힌 친구들은 아마 상습 도박을 들먹였을 거고."

오만득은 현장에서 체포됐지만, 동종 전과가 없기 때문에 벌금형으로 끝날 확률이 99퍼센트다.

그런데 이 상습 도박죄라는 게 좀 웃긴 게 판사의 재량에 따라 단 한 번만 도박을 했어도 상습 도박이 될 수도 있다는 점이다.

'그 형님이 이 시간에 없을리 없는데…….'라던 동네 주민의 말.

그렇게 비닐하우스를 개조해 만든 도박판은 사람들의 이목을 피해야 하기에 보통 저녁에 판을 벌이는데, 그걸 비추어 보면 오만득은 이미 그곳에 자주 들른 도박 중독자란 소리도 된다.

아마 함께 검거된 호구들을 추궁하면 오만득을 봤다는 사람이 나올 터.

만약 그로 인해 벌금형이 아니라 징역형을 받게 된다면?

좋아하는 술을 못 먹게 되는 거다.

알콜 중독자에게 그건 너무도 가혹한 형벌이었다.

그런 종혁의 생각이 맞다는 듯 오만득의 몸이 더 크게

흔들린다.

종혁은 담배를 내밀었다.

"근데 미안하지만, 난 다른 사건으로 온 거라 감 내놔라, 배 내놔라 할 수가 없어요. 그러니 이렇게 잠시 담배 연기 맡은 걸로 만족합시다. ……뭐, 잘 협력해 주면 좋게 말해 줄 수도 있고."

순간 오만득의 눈이 번뜩인다.

그는 담배를 물며 혀를 찼다.

"씨불. 난 장미 아니면 안 피우는데……. 뭘 묻고 싶은데?"

종혁은 마음이 돌아선 그의 모습에 씩 웃으며 사진을 내밀었다.

"1년 전 당신이 데려간 개예요. 이름은 흰둥이. 견종은 도고 아르헨티노."

그랬다. 솜은 놀랍게도 사납기로 유명한 견종인 도고 아르헨티노를 친구로 삼고 있었다. 처음 딱 보자마자 딱 꽂혔다고 한다.

'왜 발 달린 꿈틀인가 싶었지.'

솜이네 동네까지 읊은 종혁은 오만득의 눈을 빤히 응시했다.

"기억나십니까?"

"으음……."

종혁은 생각에 잠기는 오만득에 피식 웃으며 몸을 일으켰다.

"알겠습니다. 그럼 처벌 잘 받으세요."

"자, 잠깐! 아, 아직 말도 안 했는데 간다고?"

"그럼? 경찰이랑 대가리 싸움을 하려는 개새끼를 내가 왜 계속 봐줘야 하는데?"

흠칫!

"아주 씨발 존댓말로 말해 주니까 본청 경찰이 막 동네 동생 같지? 아님 뇌가 술에 쩔어서 안 돌아가나? 야, 상식적으로 생각해 봐라. 본청 경찰이 시간이 어디 있다고 개를 찾고 있겠냐? 그냥 지인이 부탁해서 찾아봤던 거야."

한심하다는 눈빛으로 오만득을 본 종혁은 담배를 빼앗으며 일어섰다.

"그럼 징역 잘 살고. 안에서 알콜 치료 잘 받아."

"뭣?! 아, 아니 잠깐!"

"엿이나 드세요."

중지를 치켜든 종혁은 문을 쾅 닫고 나갔고, 종혁이 잘하나 밖에서 듣고 있던 광수대 대장은 그런 종혁을 묘한 표정으로 쳐다봤다.

'분명 쉽지 않았어야 했는데…….'

그동안 종혁이 해결한 사건을 주욱 훑어봤을 때, 종혁으로선 아마 처음 접하는 유형의 범죄자일 터.

거기다 자기가 잡은 것도 아니고 다른 팀인 광수대가 잡았다. 함부로 대할 수도 없을 테니 종혁으로선 이래저래 골치가 아파야 했다.

그런데 풀코스로 요리를 끝마쳐 버렸다.

"대체 김 과장이 뭘 어떻게 가르친 거냐……."

같은 형사로서 왠지 자존심이 상했다.

"하하. 커피나 한잔 주십쇼."

"……아, 진짜 자존심 상하네. 따라와."

탕비실로 종혁을 끌고 간 광수대 대장은 믹스커피를 타서 넘겨줬다.

"캬. 죽이네요. 역시 연륜은 무시 못하나 봅니다."

"지금 멕이냐? 아오, 이제 이것도 팀장이라고 함부로 쿠사리를 줄 수도 없고. 진짜 경찰 좋-아졌다!"

"흐흐흐. 사랑합니다."

"시끄러워. 어떡할까. 넘겨줘?"

종혁은 눈을 크게 떴다.

"내가 인마 너한테 얻어먹은 게 있는 데 저놈 하나 못 넘겨주겠냐."

"어…… 감사한데 됐습니다. 그냥 상습 도박으로 엮어서 처넣으세요."

그런 처참한 광경을 만들었으면서도 도박 따위나 한 놈이다.

역지사지. 갇혀 있던 개들의 입장이 되어 볼 필요가 있었다.

"쯧. 요거 안 먹히네."

'어딜.'

이 기회를 빌어 빚 하나를 탕감해 보려는 듯했지만 어림없었다. 이미 오만득은 요리가 끝났으니까.

"그럼 전 이만 마무리하러 가겠습니다."

"어후으!"

실실 웃으며 돌아선 종혁은 이내 낯빛을 굳히며 회의실 문을 열었다.

절망을 한 건지 아까와 자세가 많이 달라져 있던 오만득이 두 눈에 의문을 품으며 종혁을 봤다.

"마지막 기회를 줄게. 말해 주면 술 사 준다. 안주도 시켜 줄게."

아마 오늘 마시는 술이 앞으로 3년간 마실 수 있는 마지막 술이 될 거다.

"수, 술?!"

종혁은 그의 맞은편에 서며 눈을 빛냈다.

"어떡할래? 나 이대로 나갈까? 아니면 앉을까?"

"수, 술은 얼마나……."

"한 병. 순순히 협조했으면 세 병까지 주려고 했는데, 이젠 괘씸해서 안 돼."

"아……."

"이거라도 먹기 싫으면 관두고."

"마, 말할게!"

"그래요. 이렇게 협조하니까 얼마나 좋아요. 우리 시작해 볼까요? 흰둥이 어떻게 했습니까?"

"팔았어."

"팔았다고요? 설마 개 농장에 팔았습니까?"

"아니, 투견으로 팔았는데?"

쿵!

'여기서 투견이 튀어나온다고?'

순간 촉이 선 종혁은 다급히 핸드폰을 꺼내어 몽타주들을 보여 줬다.

"그거 설마 이놈들 중에 있습니까?"

"어?"

대답을 하지 않았지만 대답을 들은 종혁은 이마를 잡았다.

"너흰 또 왜 엮이고 지랄이냐."

참 빌어먹을 우연이었다.

* * *

"후, 협조 감사합니다."

겨우 소주 한 병으로 큰 소득을 얻었다.

"그, 그럼 술은?"

"안주는 뭐 사다 드릴까요?"

"……양평해장국도 되나?"

술에 술국. 참 알콜 중독자다운 레퍼토리다.

"약속이니까 사다 드릴게요. 수고하셨습니다."

"빠, 빨리 갔다 와!"

몸을 일으키던 종혁은 아차 했다.

"그런데 댁에 있는 개들은 어떡하실 겁니까. 거의 다 죽기 직전이던데. 이미 죽은 애들도 있고. 만득 씨 찾으려고 댁에 다녀왔거든. 이렇게 협조해 줬으니까 내가 대신 처리해 줄까요?"

"그러든가! 그 개새끼들 걱정보다 술부터 얼른!"

"예에. 알겠습니다. 술독에 빠져 뒤지세요."

코웃음을 치며 회의실을 나서자마자 표정이 싸늘하게 식은 종혁은 핸드폰을 들었다.

"주인 허락 떨어졌다. 애들 옮겨."

—예!

전화를 끊은 최재수는 다급히 뒤를 돌아봤다.

오만득의 집 대문 입구, 녹색 조끼를 입고 있는 동물보호단체 사람들과 하얀 가운을 입은 수의사들, 사설 구급차까지 오직 그만 노려보고 있다.

"허락 떨어졌습니다! 옮겨도 된답니다!"

"그렇지!"

"좋았어!"

우르르르!

다급히 문을 연 사람들은 오만득의 집 안으로 밀려 들어갔고, 곧 구출 작전이 시작됐다.

"깨앵! 깽!"

자신들을 살리려는지도 모르고 살려 달라 짖는 개들.

"씨발! 의료품 있는 대로 가져와!"

"여기선 안 돼! 일단 병원으로 옮겨!"

최재수는 이를 악물었다.

"오만득, 이 씹새끼……."

최재수는 부디 종혁이 법의 엄중한 철퇴를 내렸기를 기도해 보았다.

그리고 그날 저녁.
동물병원을 찾은 종혁은 개들이 입원한 곳으로 안내됐다.
"멍멍!"
"왈왈!"
낯선이가 등장을 하자 맹렬하게 짖기 시작하는 개들.
종혁은 그보다 더 안쪽으로 안내됐다.
"여기가 집중치료실입니다."
"……동물도 집중치료실이란 게 있나 보네요."
"동물도 엄연한 생명인걸요."
마치 혼을 내는 듯한 말투에 종혁은 잠시 반성을 했고, 그런 종혁의 모습에 의사는 푸근히 웃었다.
"그런 의미에서 정말 좋은 일 하신 겁니다."
"그냥 눈에 밟혔기에 구한 것뿐입니다."
그뿐이다. 말도 못하는 짐승이 살려 달라고 온몸으로 외치고 있어서 구한 것뿐이다.
"그게 대단한 거죠."
쥐꼬리만 한 월급의 대명사인 공무원.
그것도 이렇게 젊은 사람이면 아마 이제 겨우 순경이나 됐을 거다. 그런데 사비를 털어 자비를 베풀었다.
'역시 경찰은 뭐가 달라도 다른 건가?'
솔직히 부정적인 이미지가 많았던 경찰.
의사는 역시 편견이었다며 자신의 좁았던 시야를 반성했다.
"개들 상태는 어떻습니까?"

"보다시피 위험한 고비는 넘겼습니다."

"역시 위험했나요?"

전쟁터를 방불케 했던 구출 작전에 참여했던 최재수는 고작 위험한 수준이 아니었다며 이를 갈았고, 의사는 고개를 끄덕였다.

"예. 가장 심각한 건 아무래도 영양실조와 탈수였죠. 위험한 기생충도 발견됐고요. 그래도 지금은 다 치료가 됐습니다. 한번 만져 보실래요?"

"아니……."

"한번 만져 보세요."

의사가 종혁의 손을 잡고 블록처럼 쌓인 집중치료실로 다가가자 케이스 안에 있던 개들이 슬그머니 고개를 들어 눈을 마주친다.

마치 자신을 살려 준 사람이라는 걸 아는 듯 짖지도 않고, 물러서지도 않는다.

그런데 그 눈빛이, 선하게 빛나는 그 검은 눈망울이 종혁에겐 왜인지 낯설지가 않다.

달칵!

"너무 급하게 넣진 마시고, 조심스럽게. 애들이 아직 겁에 질려 있으니……."

의사는 입을 다물었다.

개가 힘겹게 몸을 일으키더니 안으로 뻗어진 종혁의 손을 향해 얼굴을 가져다 댔기 때문이다.

분명 겁에 질려 있을 시기임에도, 그런 일을 당했기에

인간에게 공포를 느껴야 함에도 먼저 스스로 다가오고 있었다.

"애들이…… 너무 착하네요."

울컥한 의사의 눈시울이 붉어졌다.

그런 의사의 말에 종혁은 깨닫는 게 있었다. 이제야 낯설지 않은 이유를 깨달은 것이다.

'어린아이의 눈…….'

얼마 전 만난 솜이, 희설, 영우처럼 선한 눈이다.

삶이란 굴곡의 흔적이 새겨지는 어른과 달리 증오도 슬픔도 피로도 없는 맑은 눈.

그래서 마치 빨려 들어갈 것 같다.

'이래서 강아지를 보고 어린아이의 친구, 아니 반려견이라고 하는 건가?'

묘한 감정이 가슴에서 몽실 피어난다.

찌르르!

온기에 집중하던 손바닥을 핥는 축축한 혀에 갑자기 전류가 온몸을 관통한다.

종혁은 어이없다는 듯 개를 응시했다.

'요놈 봐라? 너 지금 고맙다고 한 거냐?'

왜인지 그렇게 느껴진다.

분명 말을 못하는 짐승인데, 그렇게 말하는 듯하다.

솔직히 종혁은 동물에 대해 애견인처럼 남다른 감정이 없었다.

개장수 집에 들어가는 걸 꺼려 한 것은 그저 그런 처참한 모습이, 인간으로서 도저히 눈뜨고 볼 수 없는 모습이 보기 싫고 그런 모습을 태연하게 만드는 인간 말종들을 패 버릴 수가 없기 때문이었다.

그냥 다른 보통 사람들과 똑같이 생각할 뿐이었다.

어쩌면 성격이 이래 처먹어서 더 크게 생각할지도 몰랐다. 그래서 눈에 보였고 밟히기에 구했을 뿐이다.

능력이 되니 결정을 내리는 것도 쉬웠다.

그런데…….

"너희 좀 크게 밟힌다?"

종혁은 헛웃음을 터트렸다.

"흠. 나도 개나 키워 볼까?"

"전 재들 중 한 마리를 입양할 겁니다."

"어? 정말? 너희 집은 이미 개 키우고 있다고 하지 않았어?"

"그래도 너무 불쌍하잖아요. 한 마리 정도는 괜찮아요."

그 이상은 힘들지만 말이다.

개들의 할짝임에 정복을 당한 최재수와 오택수의 대화에 종혁도 갈등이 생긴다.

'흠. 나도 한 마리 입양할까? 엄마가 좋아하려나?'

이미 강아지 같은 놈들이 둘이나 있기에 갈등이 생길 수밖에 없다.

"어이, 팀장. 이제 어떻게 할 거냐?"

"구하러 가야죠. ……구하러 갑시다."

흰둥이뿐만 아니라 지금도 고통받고 있을 다른 개들도 말이다.

거기까지 생각한 종혁은 다시 헛웃음을 터트렸다.

'동물을 구하기 위해 돈을 쓴다라…….'

단 한 번도 해 본 적이 없어서 그런지 뭔가 기분이 묘했다.

하지만 나쁘진 않을 것 같았다.

"좀 써 보지, 뭐."

외유한다고 생각하면 될 듯했다.

3장. 결코 원하지 않은

결코 원하지 않은

해가 떠오른다.

"끄응."

철창으로 된 우리에 갇힌 하얀 대형견 한 마리가 앞발로 눈을 가린다.

부스럭.

높이 솟은 무성한 잡초들 사이로 들리는 인기척에 대형견이 번쩍 고개를 들고 눈을 초롱초롱 빛냈다.

하지만…….

바스락바스락.

점점 가까워지는 소리와 함께 맡아지는 냄새에 꼬리를 엉덩이 안으로 숨기며 뒤로 물러난다.

"끄응. 끄응."

"일어나, 이 둔탱이 새끼야!"

떠엉!

철창을 후려치는 쇠몽둥이.

크게 움츠렸던 대형견이 이내 혀를 내민다.

"헥! 헥!"

"기다려!"

촤라라!

철창 안으로 쏟아지는 걸쭉한 액체.

대형견의 눈이 아침밥을 향해 고정된다.

"헥! 헥! 헥!"

"처먹어!"

"컹!"

그제야 밥그릇에 주둥이를 처박는 개의 모습에 한 손에 양동이를 든 코가 빨간 오십대 남성이 코웃음을 쳤다.

그러고는 조금 떨어진 곳에 놓인 철창 우리로 다가갔다.

와구와구…… 와구.

"끄응."

방금 전까지 걸신이 들린 듯 빠르게 움직이던 입과 혀가 느려진다. 마치 먹기 싫은 걸 억지로 먹는다는 듯 이 시간이 영원했으면 하는 것처럼 느려진다.

그런 대형견은 몰랐다.

멀리 떨어진 곳에서 오십대 남성이 그걸 지켜보고 있다는 걸 말이다.

"쯧. 도고가 저렇게 기억력이 좋은 놈이었나?"

벌써 1년이 넘었는데도 아직까지 주인을 찾는 걸 보니

괜스레 짜증이 치밀었다.

"……안 되겠어."

아직 훈련이 모두 끝나지 않은 상황이지만, 더 이상은 봐주지 못할 것 같다.

"이르지만 데뷔를 시키는 수밖에."

그러다 죽으면 어쩔 수 없고, 산다면 제 처지를 깨닫고 완전히 복종하게 될 것이다.

"그래. 그동안 너무 오냐오냐했……."

지이잉! 지이잉!

"이 새벽부터 누구야?"

심지어 모르는 전화다.

"누구쇼? 뭐? 누구? ……오 사장 소개라고? 개장수 오 사장? 아, 그쪽이었어?"

피식 웃는 장년인의 눈에 짙은 경계심이 서린다.

"근데 우리 쪽 판돈은 좀 센데……."

-비싸 봐야 한 판에 1억씩 하나?

"1억?!"

장년인이 기함을 한다.

-그러면 좋을 것 같은데 말이야. 이쪽 애들은 간댕이가 너무 작아서. 뭐 그래서 잡혀간 걸 테지만.

"뭣?!"

-내 돈 따먹고 싶으면 연락해. 피가 튄다기에 그냥 관심이 가서 전화했을 뿐이니까.

장년인은 할 말만 하고 끊겨 버린 전화를 보며 미간을

좁혔다.

"요것 봐라?"

혹시나 경찰인가 했는데 부르는 판돈이 예사롭지가 않다. 절대 경찰 사이즈가 아니다.

장년인은 재빨리 누군가에게 전화를 걸었다.

"어, 회장. 저쪽 경기도 개장수 오만득이가 도박을 하다가 잡혀갔다고 하거든? 그것 좀 알아봐 줘. 그리고 내가 문자로 보내 줄 전화번호 주인도. 그래, 수고."

전화를 끊은 장년인은 턱을 쓰다듬었다.

"억을 함부로 부르는 젊은 놈이라…… 재벌집 아들인가?"

영 없는 이야기는 아니다.

자신들이 만드는 판에는 그런 사람이 없을 뿐, 서울경기 쪽엔 그런 인간들이 있다는 소리를 들었으니까.

"만약 조사해 봤는데 아무것도 안 나온다면…… 흐흐."

그런 눈먼 돈은 따는 놈이 임자다.

아무래도 이번 겨울은 이놈 덕분에 따뜻하게 날 것 같았다.

헤벌쭉 웃은 장년인은 대형견에게 걸어가 철창 우리의 자물쇠를 열어 목을 잡고 끌어냈다.

"끄응, 끙!"

약간 반항을 하더니 이내 곧 순순히 따라나서는 놈.

장년인은 집 안에 설치해 놓은 러닝머신 위에 묶었다. 투견 전용으로 개조한 러닝머신이었다.

기이이잉!

"뛰어, 이놈아."

짜악!

땅바닥을 때리는 회초리에 하얀 대형견은 발을 놀리기 시작했다.

목이 묶여 뛰기 싫어도 억지로 뛰어야 하는 러닝머신.

대형견의 혀가 곧 입 밖으로 튀어나왔다.

"뛰어라, 이놈아! 더 빨리 뛰어!"

장년인은 개의 주둥이가 닿을 듯 닿지 않을 듯한 곳에 피가 뚝뚝 떨어지는 개의 다리를 묶어 놓고 계속 채찍질을 했다.

개의 공격성을 자극하는 페로몬을 잔뜩 묻힌 다리.

하얀 대형견, 도고 아르헨티노 흰둥이의 눈이 벌겋게 달아오르기 시작했다.

* * *

밖에선 눈이 쏟아지는 한 카페 안.

다리를 꼰 채 커피를 마시고 있던 종혁이 몸을 일으켜 카운터로 다가가 한 장의 명함을 내민다.

"이따가 누가 찾아오면 이거 주세요."

"아, 네! 안녕히 가세요!"

딸랑.

카페를 나선 종혁은 흩날리는 눈발을 뚫으며 근처에 세워진 고급 중형 세단으로 다가갔고, 재빨리 내린 최재수가 뒷문을 열어 주었다.

타악!

"……아주 007을 찍는구나, 찍어."

운전석에 앉아 있던 오택수가 투덜거리자 종혁은 피식 웃었다.

"어련하겠어요."

전국 경찰들이 눈에 불을 켜고 쫓아도 못 잡는 놈들이 바로 투견 도박꾼들이다.

마치 회원제로 운영되는 클럽처럼 복잡한 확인 절차를 거치지 않으면 접근조차 할 수 없는 투견 도박판.

겁쟁이 토끼처럼 어찌나 조심성이 좋은지 여차하면 곧바로 판을 접고 날라 버린다.

도박 현장을 급습하지 않으면 놈들을 처벌할 법령도 없기에 뒤늦게 신고를 받고 출동해도 이미 다 튀어 버린 후라서 도박꾼들의 신상 내역을 알아도 검거하기가 힘들다. 마치 불법 도박판에 기웃거리는 도박 중독자들처럼.

참 지랄 맞은 놈들이었다.

"이게 될까요?"

최재수의 물음에 종혁은 피식 웃었다.

"안 됐겠냐?"

혹시 모를 상황을 대비해 린치에게 부탁해 새 신분을 만들었고, 빅토르에게 부탁해 드바 로마노프 코리아의 상무에 적을 올렸다. 정보국쯤 되지 않는 이상 누구라도 속을 수밖에 없다.

이십대 중반에 상무.
누가 봐도 잘 알려지지 않는 부잣집 아들내미다.
종혁의 입가에 미소가 맺혔다.
하지만…….
"그런데 이게 의미가 있겠냐?"
관련법을 따져 보니 놈들을 검거할 수 있을지라도 투견들을 구할 수 없다. 그런 오택수의 말에 최재수도 낯빛을 흐리며 고개를 끄덕였다.
그러나 종혁의 입가에 걸린 미소는 여전했다.
"그러니 우리도 판을 깔아야죠."
"판? 지금 깐 거 아니었어?"
"일단 출발해요."
"……오케이."
오택수는 조심스럽게 차를 출발시켰고, 차는 눈이 내리는 도로를 느릿하게 나아갔다.
그렇게 얼마의 시간이 흘렀을까.
입이 근질거린 오택수가 입을 열려고 할 때 종혁의 핸드폰이 울었다.
지잉! 지이잉!
"당신들인가?"
-미안해. 우리도 절차란 게 있거든?
"생각만큼 재미가 없으면 각오하는 게 좋을 거야."
-크크. 걱정 말라고, 젊은 양반. 이 판을 접하고 나서 제 의지로 그만둔 놈은 하나도 없으니까!

"가까운 판은 언제지?"

-모레! 그 번호로 문자 줄 테니까 앞으로 이 번호로 연락하지 마! 어차피 연락도 안 될 테니까!

종혁은 그러고 뚝 끊긴 전화를 가리켰다.

"거봐."

"예스!"

"그래서 그 판이란 게 뭔네! 이거 아니었어?"

아니다. 놈들 사이로 파고들 신분을 만드는 건 시작에 불과했다. 이것만 가지곤 판을 깔 수가 없었다.

"오 경감님, 판을 깔려고 때 가장 필요한 게 뭘까요?"

사람들이라면 여러 가지를 생각했을 것이다.

하지만 형사인 그들이 가장 먼저 떠올리는 건 하나다.

바로 판에 앉을 사람들.

"러시아 대사관으로 가죠."

* * *

"안젤리나 씨!"

러시아 대사관 앞, 종혁은 마중을 나온 나탈리아에게 그녀를 닮은 새빨간 장미꽃 한 다발을 안겨 주었다.

몰아치는 찬바람 속에서도 콧속을 훅 파고드는 향기와 방금 전까지 품고 있었는지 손끝에 전해지는 온기에 나탈리아는 묘한 미소를 지었다.

"왜 그러세요?"

'씁. 들켰나.'

너무 노골적인 방문이라서 들키지 않았을 리가 없지만 그래도 입맛이 좀 썼다.

그러나 그녀의 붉은 입술이 토해 내는 말은 종혁의 생각과 좀 달랐다.

"어쩜 이렇게 타이밍이 좋은지……."

"음?"

"들어와요."

"……네?"

종혁은 러시아 대사관을 가리키는 나탈리아를 보며 눈을 껌뻑였다.

러시아 대사관 내부는 마치 제법 이색적으로 꾸며져 있었다.

평범한 콘크리트 건물에 무심하게 놓인 고딕한 가죽소파나 명화. 현대의 삭막함 속에 옛 러시아의 화려하고도 아름다운 궁전을 접목시켜 놓은 듯했다. 하물며 꽃병조차도 러시아 골동품을 보는 듯 아름다웠다.

감탄을 하며 복도를 걷던 종혁은 이내 커다란 문 앞에 섰다.

"여기서 잠시만 기다려 줘요."

촉!

애정을 담아 볼에 입을 맞춘 그녀는 안으로 쏙 들어갔고, 종혁은 옆에 놓인 소파에 앉으며 눈을 가늘게 떴다.

'최상층이라…….'

보통 최상층은 이 건물에서 가장 직위가 높은 사람이 쓴다.

즉, 주한 러시아 대사가 머무는 공간일 확률이 높다.

'대사가 날 부른 건가? 그런데 왜 운이 좋다고 한 거지?'

머릿속이 온갖 의문으로 엉클어진다.

이거 약간 무리한 부탁을 하러 왔다가 기물을 만나게 생겼다.

"홍차입니다."

"어?"

종혁은 홍차를 가져온 여성을 보고 놀랐다.

방콕에서 접근했던 그 꽃뱀, 아니 SVR 요원이다.

"접근 방식은 공부했습니까?"

순간 볼이 달아오른 그녀는 찻잔을 안기듯 주며 돌아섰고, 종혁은 키득키득 웃었다.

"1층에 있는 제 팀원들에게도 음료 부탁해요. 허튼짓은 말고요!"

나탈리아의 만류에 1층에 머물게 된 오택수와 최재수.

최재수는 저런 요원이라면 손쉽게 요리할 호구였다. 손짓만 해도 홀랑 사랑에 빠져 버릴 호구.

종혁은 대답조차 없이 멀어지는 요원을 보다 홍차를 입에 가져갔다.

"으."

역시 시큼텁텁한 홍차는 그의 스타일이 아니었다.

'그래서 왜 운이 좋다고 말한 걸까…….'

곧 알게 될 테지만 너무도 궁금해 참을 수가 없다.

달칵!

"들어와요."

어떤 기대감마저 품고 있는 그녀의 눈에 종혁은 한시름 놓을 수 있었다.

'그럼 들어가 보실까?'

종혁은 가슴을 펴며 안으로 들어갔다.

그리고…….

–당신이 우리 러시아의 친구 최 로군요.

'그러네. 운이 좋은 거네.'

앤틱하게 꾸며진 사무실 공간, 한쪽에 걸린 커다란 TV에 종혁의 예상을 훨씬 벗어난 거물이 있다.

이제 사십대가 됐을 법한 순한 인상의 중년인.

러시아에서 흔하게 볼 수 있는 외모의 쾌남이다.

"원랜 바이 차이나가 어느 정도 성과를 내면 자리를 만들려고 했는데, 이렇게 됐네요. 최, 인사해요. 이쪽은……."

나탈리아의 소개가 채 끝나기도 전에 종혁은 한 발 앞으로 나서며 고개를 살짝 숙였다.

"이렇게 뵙게 될 줄은 몰랐습니다, 메드베제프 이사장님."

러시아 국영가스기업 가즈프롬의 이사장이자, 2년 후 러시아의 대통령이 되는 인물.

현 마더 러시아의 2인자가 김이 올라오는 야외 풀장에 몸을 담근 채 이쪽을 보고 있었다.

첫 대면이 꽤 충격적이었다.

설마 종혁이 자신을 알고 있는 줄 몰랐다는 듯 눈이 커졌던 메드베제프가 호탕하게 웃었다.

-이런 식으로 만나게 되어 미안합니다. 얼마 전 일어난 테러 때문에 주의해 달라.말할 겸 사사로운 이야기를 나누던 와중이라.

종혁은 메드베제프에게서 시선을 돌려 러시아 대사를 바라봤다.

켄터키 할아버지처럼 푸근한 외모의 노인은 종혁과 눈이 마주치자 살짝 고개를 끄덕이곤 시거를 물었다.

그런 그의 한 손엔 보드카가 병째로 들려 있었다.

'진짜 상식이 깨지는구나, 러시아.'

"저도 이런 자리인 줄 알았다면 더 편한 옷을 입고 올 걸 그랬습니다."

-……하하하하하하!

수영장 물을 치며 웃던 메드베제프는 돌연 낯빛을 굳히며 고개를 숙였다.

-감사합니다. 우리 러시아를 풍요롭게 해 줘서.

종혁이 준 금전적인 이득만을 말하는 게 아니다.

가출 청소년 쉼터. 그로 인해 러시아의 많은 미혼모들이 구원을 받았고, 미래의 러시아를 이끌어 갈 인재들이 육성되고 있었다.

미국과의 외교적인 문제는 또 어떤가.

인적으로도, 금전적으로도, 외교적으로도 러시아는 풍

요로워지고 있었다.

'휘유. 이거 쉽지 않은 양반이네.'

뜬금없는 타이밍에 들어온 감사 인사.

이것만 봐도 호락호락하지 않은 사람이란 걸 알 수 있다.

'그러니 홍차 외교를 하는 그분의 참모라 불리는 거겠지.'

"아닙니다. 제가 아무리 그런 걸 제안했다고 한들 러시아에 의지가 없었더라면 아무런 일도 없었을 겁니다. 전 오히려 인민들을 위한 러시아의 결단에 찬사를 보내고 싶습니다."

—……나탈리아가 왜 그렇게 칭찬했는지 알 것 같군요. 참 혀가 위험한 친구야.

"이거 진심이 매도되니 가슴이 아픈데요?"

—후후. 압니다. 당신이 언제나 진심이란 것은. 그래서 하나 묻고 싶군요. 우리 러시아가 앞으로 집중해야 할 미래 먹거리가 뭐라고 생각하십니까?

'이거군.'

이 자리에 자신이 불린 이유가 말이다.

종혁은 사전에 언질을 해 주지 않은 나탈리아를 향해 원망하는 시선을 던졌으나, 그녀 또한 듣지 못한 이야기였는지 당황한 기색이 역력했다.

'이 양반 뱀이네.'

평범한 인상 속에 꽤 재미난 걸 품고 있다.

하지만 그래서 재밌다.

한 나라의 2인자가 타국의 일개 청년에게 스스럼없이

자국의 미래에 대해 묻고 있다.

아무리 능력을 인정한다고 하더라도 쉽지 않은 일이었다. 높은 자리에 있는 인물일수록 체면을 중시할 수밖에 없는 일이니까.

잠시 고민에 잠겼던 종혁은 자세를 바로 했다.

그렇지 않아도 약간 무리한 부탁을 하려고 했던 터라 슬쩍 흘리려 했던 어떤 정보. 그걸 지금 푸는 것도 나쁘지 않을 듯했다.

"곧 있을 중국 증시의 거품 붕괴를 말하는 건 아닌 것 같고……."

쿵!

바이 차이나로 함께하고 있지만, 훗날 얻어 낼 게 있을까 싶어 나탈리아에게도 숨긴 정보.

깜짝 놀란 나탈리아는 다급히 종혁을 바라봤고, 메드베제프와 러시아 대사도 놀란 듯 눈이 떨렸다.

그에 종혁은 입꼬리를 끌어 올렸다.

"메드베제프 씨는 뭐라고 생각하십니까?"

―……질문에 질문인가요?

어이없다는 듯 웃은 메드베제프는 정색했다.

―컴퓨터, 핸드폰, 그리고 반도체.

'호오.'

놀랍다.

하지만 이런 식견이 있기에 한 나라의 2인자가 될 수 있었을 터.

-하지만 컴퓨터와 핸드폰은 이미 과포화 상태입니다. 우리가 끼어들 수도 없고, 더 이상 발전을 할 수 있을지도 의문이군요.

물론 기술력이 발달할수록 더 좋은 컴퓨터와 핸드폰은 만들어질 것이다.

그러나 그 정도를 과연 발전이라고 말할 수 있을까.

이런 그의 말에 종혁은 고개를 끄덕였다.

"물론 따로 놓고 생각한다면 그렇겠죠. 하지만 컴퓨터와 핸드폰을 합친다면요?"

-그게 무슨 말인지…….

세 사람은 종혁의 말뜻이 좀처럼 이해하기 어려운지 미간을 좁혔다.

"이미 핸드폰은 본래의 영역인 통신을 넘어서 게임, 카메라, MP3, DMB, PMP 등 다양한 기능을 담기 시작했죠. 그러나 아직 그 성능들이 제각기 뛰어나다고는 할 수 없는 게 현실입니다. 하지만 만약 핸드폰에 컴퓨터에 버금가는 OS(Operating System)를 장착할 수 있다면 어떻게 될 것 같습니까?"

그제야 종혁이 말하고자 하는 바를 알아차린 메드베제프는 두 눈을 크게 떴다.

'컴퓨터에 핸드폰이 담기는 게 아니라 핸드폰에 컴퓨터가 담긴다고?'

-그, 그건 말도 안 됩니다! 그런 게 가능할 리가…….

나탈리아와 러시아 대사도 적극 고개를 끄덕인다. 그런

게 가능할 리가 없었다.

종혁은 역시 그러냐는 듯 웃으며 다리를 꽜다.

"흠. 그렇다면 잠깐 화제를 돌려 보죠. 메드베제프 씨, 혹시 구글이라는 기업을 아십니까?"

—……물론이죠. 러시아에서도 흔히 사용하는 검색 사이트니까요.

러시아에는 더 많이 애용되는 검색엔진이 있지만, 그래도 점유율 2위를 차지하며 그 이름을 널리 알린 구글.

점차 인터넷이 확산되어 가고 있는 세상에서 그 이름을 모를 수는 없었다.

"그곳이 핸드폰 OS를 만드는 기업을 인수했습니다."

—음?

"그리고 미국의 유명 컴퓨터 회사 기술부의 꺼지지 않고 있다는 소문이 있죠. 새로운 핸드폰을 만들기 위해."

—자, 잠깐…….

"메드베제프 씨, 세계의 천재들은 이미 다음 그림을 그리고 있습니다. 4차 산업이라는 큰 그림을 위한 밑그림을."

당신들 높은 사람들이 보지 않는 곳에서.

콰아앙!

거대한 폭탄이 그들 사이로 떨어졌다.

폭풍이 휘몰아친 자리, 종혁을 제외한 사람들이 가쁜 숨을 몰아쉰다.

—정말 그렇다고 한다면…… 불가능한 일은 아니겠군요.

메드베제프의 눈에 공포와 경의가 담긴다.

미국을 대표하는 기업들이 세계를 뒤흔들기 위해 은밀히 준비하고 있는 사업.

'그걸 이 천재는 앉은 자리에서 읽어 낸 거지.'

메드베제프는 러시아 스타일로 종혁을 다루지 않은 나탈리아를 칭찬할 수밖에 없었다. 그리고 이런 종혁이 러시아를 택해 줘서 너무 고마웠다.

메드베제프의 눈에 담긴 공포와 경의가 더 짙어졌다.

그는 이 대화가 끝나면 꼭 그분을 만나야겠다고 생각했다.

–그 먹거리가 러시아의 미래군요.

"예. 실현이 불가능하다면 내가 하면 되는 겁니다. 늦지 않았습니다."

정치나 외교, 그런 걸 말하는 게 아니다. 러시아 인민들의 먹거리를 말하는 거다.

메드베제프는 고개를 끄덕였다.

종혁이 지금까지 한 말에 이미 모든 단서가 담겨 있었다. 러시아가 그 먹거리를 어떻게 개발하고 취해야 하는지 말이다.

–그래서 무섭군요.

"예?"

–이런 걸 말해 준 최가 대체 어떤 위험한 부탁을 하기 위해 나탈리아를 찾아왔는지가요.

"음, 솔직히 좀 무리한 부탁이긴 합니다."

–뭐, 뭡니까?

이런 종혁이 무리한 부탁이라고 말한다.

나탈리아와 러시아 대사도 종혁의 입을 집중했다.

“개 한 마리만 주십시오.”

—……예?

“정확히는 여기 대사님의 개가 실종됐다는 신고를 좀…… 이번에 투견 도박을 하는 놈들을 잡아야 하는데, 놈들에게서 개를 뺏어야 해서…… 하하.”

그랬다.

종혁은 이 부탁을 하기위해 나탈리아를 찾았던 거다.

외국에서는 동물학대를 엄격히 벌하며, 동물의 소유권을 박탈할 뿐만 아니라 이후 동물을 기르는 것 자체를 금지시키기까지 한다.

그러나 한국에서는 동물의 소유권까지 박탈하는 것은 개인재산권을 침해하는 것으로 여겨, 법적으로 동물을 구제해 줄 방법이 존재하지 않았다.

즉, 동물학대를 자행하는 놈들을 벌할 뿐만 아니라 동물들까지 구제해 주기 위해서는 법을 손보는 수밖에 없었다.

하지만 무려 헌법에 명시되어 있는 조항과 맞부딪치며 법을 개정하는 일에 국회의원들의 목소리를 모으려면 얼마나 많은 걸 줘야 할지 가늠조차 되질 않았다.

빈대 몇 마리 잡자고 초가집을 모두 태우는 행위.

아무리 가성비 생각 안 하고 돈을 쓴다지만, 이건 좀 무리였다.

그래서 차라리 그럴 바에는 그냥 아는 깡패 형을 동원

하기로 한 것이었다.

—……겨우?

겨우가 아니다. 외교적인 문제가 발생할 수 있는 일이다. 하지만 이렇게 대화를 하고 나니 겨우가 되어 버렸다.

"네. 뭐 그러네요. 그런데 절 부른 건 메드베제프 씨입니다만?"

—그런데 왜…….

이렇게 엄청난 이야기를 서슴없이 한 걸까.

"친구니까요. 아니었나요?"

—……푸하하하하하하하하하!

배꼽을 잡으며 한참을 웃던 메드베제프는 다시 정색했다. 그의 얼굴엔 존경과 기쁨만이 담겨 있었다.

—앞으로 당신이 바라는 일은 뭐든지 이뤄질 겁니다. 러시아의 친구. 그리고 나의 경애하는 친구, 최.

"가까운 시일 내에 술 한잔하죠. 남자는 그래야 진짜 친구가 되는 거잖아요?"

—푸핫! 예. 곧 연락을 하죠.

씩 웃은 종혁은 몸을 일으켰고, 다급히 나탈리아가 뒤따라왔다.

도통 가쁜 숨이 가라앉지 않는 그녀. 이럴 때마다 왜 이렇게 귀여운지 모르겠다.

종혁은 키득키득 웃었다.

"놀랐어요?"

"그럼 안 놀랐겠어요?"

뜬금없이 찾아와 감당하지 못할 폭탄을 떨어트렸다.

샐쭉해지는 그녀의 모습에 종혁은 짓궂게 웃다가 이내 담배를 물었다.

"원래는 좀 더 결과물이 나오고 나서 말하려고 했어요. 그런데 뭐……."

흘러가는 상황을 보니 이것도 나쁘지 않겠다는 생각이 들었다.

"그건 우리가 친구이기 때문인가요?"

종혁은 대답 대신 여러 가지의 감정으로 얼굴이 복잡해지는 나탈리아의 어깨를 두드리며 돌아섰다.

"사납고 큰 놈으로 부탁할게요, 나탈리아."

뚜벅뚜벅!

멀어지는 종혁을 멍하니 바라보던 나탈리아는 이내 낯빛을 굳히며 손가락을 튕겼다.

따악!

"부르셨습니까."

"그 미국 애송이에게 연락해. 우리 러시아가 작은 부탁을 바란다고."

"……예."

부하 직원이 멀어지자 나탈리아는 종혁이 사라진 자리를 보며 화사하게 웃었다.

"정말 당신이 바라는 모든 일이 이뤄질 거예요, 최."

'증원부터 해야겠어.'

종혁은 말을 안 했지만, 종혁과 깊게 얽혀 있는 듯한

그 조직.

아무래도 지부 인원을 더 늘려야 할 듯싶었다.

"그리고 최를 도울 인력도."

그녀는 몸을 돌리며 방금까지 있었던 공간으로 향했다.

한편 1층으로 내려온 종혁은 벌떡 일어나는 오택수와 최재수를 향해 엄지를 치켜들었다.

"됐습니다!"

"진짜 뭐가 된 거냐고, 인마!"

"여기 대사님께서 크고 사나운 견종의 개를 잃어버려 주시기로 하셨다고요. 개장수에게."

"……응?"

뭔 개소리인가 하고 눈을 껌뻑이던 오택수와 최재수는 눈을 부릅떴다.

"이, 이 미친 새끼……."

"자, 그럼 우리도 준비하죠."

사람들이 모였으니 이제 판때기를 펼칠 때였다.

* * *

휘이잉!

눈꽃송이를 머금은 찬바람이 몰아치는 어느 국도의 휴게소. 저녁 8시가 되자 차들이 하나둘씩 나타나기 시작한다.

1톤 트럭부터 승합차, 승용차, SUV.
온갖 종류의 차들이 어느덧 주차장을 가득 채운다.
그런 그들 사이로 중후한 외제 고급 세단이 들어선다.
탁!
최재수가 열어 준 뒷문으로 내린 종혁은 오들오들 떨며 커피를 홀짝이는 사람들의 얼굴을 주욱 훑어봤다.
전에 최기룡과 함께 봤던 사람들. 그리고 똑같은 표정들.
'저번엔 저걸 월척을 낚겠다는 의지에 불타오르는 걸로 착각을 했지.'
묘한 기대로 흥분을 하는 얼굴들을 보니 저들도 인간이 아니라는 생각이 든다.
'흰둥이를 사 간 놈이…….'
사박사박!
시멘트 바닥에 소복하게 쌓인 눈을 밟으며 누군가 다가온다.
"최 상무님?"
저번에 매점 안까지 들어와 자신들을 떠 봤던 그놈이다.
"어디서 뵌 듯한데……."
"저번에 저쪽 어디의 휴게소에서 봤지."
"……아! 그 아버지랑 낚시하러 간다는?! 그런데 저번과 많이 다르네요?"
종혁은 안경을 추켜세우며 조소를 터트렸다.
"꼰대 앞이었으니까."
"말도 엄청 짧으시고."

"원래 도박판은 돈 많은 놈이 왕 아니었나? 좆같으면 너도 놔."
"……그건 맞지."
비릿하게 웃은 장년인은 종혁의 위아래를 훑어보았다.
"그런데 우리 수표 안 받는데?"
딱!
종혁이 손가락을 튕기자, 최재수가 트렁크에서 커다란 스포츠백 두 개를 가져와 안의 내용물을 보여 주었다.
장년인의 눈이 파르르 떨렸다.
"이런 거 열 개 더 있는데? 아, 오늘은 맛보기로 가져온 거라서 좀 부족한가?"
"추, 추우니까 차 안에 있으쇼. 출발할 때 되면 부를 테니까."
"내 걱정 말고 얼른 시작하기나 해. 난 너희랑 다르게 시간이 많지 않거든."
"크흠!"
몸을 돌린 장년인이 멀어지자 종혁은 다시 사람들을 둘러봤다.
'쯧. 조명을 등진 놈이 많아서 얼굴 분간이 잘 안 되네.'
그래도 누가 판을 까는 놈인지, 어떤 차가 견주의 차인지는 대략 감이 잡힌다.
"최 비서."
"예, 상무님."
"가서 코코아 사 와. 따뜻한 걸로."

"……매점 문 닫은 것 같은데요?"
"그래서?"
와락 얼굴을 구긴 최재수는 냉큼 매점 근처의 자판기로 뛰어갔고, 종혁은 담배를 물었다.
오택수가 종혁의 담배에 불을 붙였다.
"녹화는 잘 되고 있는 거지?"
"이거 SVR 거예요. 옛 KGB."
성능으로서나 디자인으로서나 시중에 판매되는 안경형 카메라와 차원이 다르다. 바늘구멍처럼 작게 뚫린 구멍 속 카메라는 모든 걸 선명하게 잡아냈다.
"큼. 그럼 전 먼저 차에 들어가겠습니다, 상무님."
"차 문부터 열어 주고."
종혁은 이를 악문 오택수가 열어 주는 문 안으로 들어가며 키득키득 웃었다.
그렇게 얼마의 시간이 흘렀을까.
몇 대의 차가 더 휴게소 주차장에 진입했을 때 지이잉 소리를 내며 핸드폰이 운다.
-선두 차량 따라오세요.
"출발하죠."
부르릉! 부르릉!
시동이 걸리며 휴게소를 빠져나가기 시작하는 차들.
종혁과 둘을 태운 차도 그들의 뒤를 따라붙었다.

국도에서 국도로 빠지던 차들은 어느 고가 아래에 멈춰

섰다.
그리고…….
"비켜요, 비켜!"
"아으, 추워."
"으르릉!"
순식간에 투견들이 싸울 멍석이 깔리고, 펜스가 쳐진다.
한쪽에선 커피, 김밥, 맥주 이딴 걸 써 붙인 천막이 세워지며 불이 켜지고, 휴게소에선 조용하던 개들도 이를 드러내기 시작했다.
이렇게 투견판이 깔리는 것부터 보는 건 종혁으로서도 처음.
종혁은 정말 눈 깜빡할 새에 완성되어 버린 투견판에 혀를 내둘렀다.
'이러니 이 새끼들을 잡기가 힘들지, 씨발.'
판을 펼치는 것도 이렇게 빠른데, 접을 땐 대체 얼마나 더 빠른 걸까.
종혁은 간이매점으로 다가갔다.
"아이고, 개시 손님이 오셨네! 뭐가 이렇게 급하셔?"
"커피 세 잔."
그렇게 말한 종혁은 백만 원짜리 뭉치를 턱 내려놓았고, 간이매점 여주인이나 다가오던 사람들은 화들짝 놀랐다.
"왜? 부족해? 전에 있던 판에서는 이 가격이던데?"
"호호호! 부족…… 하다고 말하고 싶지만, 많죠! 우린 커피 한 잔에 2만 원이에요."

종이컵에 담긴 믹스커피 한 잔에 2만 원. 종혁을 따라온 최재수는 어이없어했다.

그걸 모른 척한 종혁은 혀를 찼다.

"흠. 여기도 거지들만 노는 싸구려 판인가?"

"여, 여기 잔돈……."

"됐어. 한 번 내려놓은 돈은 다시 담지 않는 주의라. 나머진 그냥 여기 사람들에게 돌려."

"오! 잘 마실게. 젊은 친구!"

"잘 마실게! 이봐, 여기 젊은 사장님이 커피 쏘신대!"

"뭐?"

공짜라면 양잿물도 처마시는 도박꾼들. 사람들은 순식간에 모여들었고, 공돈을 벌 기회를 놓친 여주인은 울상이 되었다.

종혁은 고맙다고 인사를 하는 그들을 모두 느릿하게 훑어보곤 몸을 돌렸다. 마치 너희들 따위와 말을 섞을 레벨이 아니라는 듯 말이다.

당연히 사람들은 울컥했지만, 이내 곧 커피의 따뜻함과 달콤함에 잊어버릴 수밖에 없었다.

"흰둥이는요?"

헤드라이트가 켜진 차의 보닛에 앉은 종혁은 사람들의 차를 주욱 훑어보고 온 오택수를 봤고, 오택수는 고개를 저었다.

"그래도 어떤 놈이 어떤 개들을 데리고 있는지는 대충

찍었다.”

모두 종혁이 사람들을 매점으로 불러 모은 덕분이다.

“……역시 안 짖더라.”

종혁은 당연하다는 듯 고개를 끄덕였다.

일반인들이 흔히 오해를 하고 있는 부분이 있는데, 훈련이 된 투견들은 절대 사람을 향해 공격성을 드러내지 않는다.

견주가 물으라고 명령을 해도 마찬가지다. 같은 동족에 대한 공격성을 제외한 다른 공격성을 말살시켜 버렸기 때문이다.

‘그래야 견주 본인이 물어뜯기지 않기 때문이지.’

이성이 마비될 정도로 흥분을 한다고 해도 말이다.

“크으응.”

종혁은 옆에서 끌려오는 핏불 테리어를 응시했다.

주인이 잡은 목줄에 이끌려 억지로 끌려가는 핏불 테리어. 공포와 거부를 온몸으로 외치지만, 동시에 체념도 가득하다.

저벅저벅.

“최 상무님? 이제 곧 판 열릴 거야. 선수들 입장하잖아?”

“……최 비서, 돈이랑 의자 들고 따라와.”

“예, 상무님!”

종혁은 펜스를 둥글게 감싼 사람들 사이로 파고들어가 최재수가 펼친 의자에 앉았다.

최재수는 눈치 좋게 핫팩과 담요, 전기스토브를 종혁의

앞에 내려놓았고, 사람들은 그런 둘을 어이없다는 듯 보았다.

그러나 종혁은 펜스 안쪽만 응시할 뿐이었다.

"끄응. 끙."

펜스 안이 싫은 건지 먼저 들어온 핏불 테리어가 꼬리를 숨긴 채 앓는 소리를 낸다.

하지만 그것도 잠시다.

뭔가를 느낀 건지 이내 곧 몸을 일으켜 세운 핏불 테리어가 펜스 입구를 바라보며 이를 드러냈다.

"크르르르르르!"

"워. 워. 워워."

목줄을 꽉 쥐며 진정시키려 애쓰는 견주.

종혁은 펜스 입구 쪽을 보았다.

"크르르."

다른 핏불 테리어가 다가온다.

이미 적의 향기를 느낀 건지 벌써부터 튀어 나가려 몸을 움찔거리고, 견주는 그런 개를 다스리려 애쓴다.

"자, 자! 돈 걷겠습니다! 먼저 들어온 놈이 1번 호랑이! 뒤에 들어오는 놈이 2번 순덕이!"

아직 싸움이 시작되지 않아서일까. 호구들이 선뜻 지갑을 열지 않는다.

그러나 종혁은 아니었다.

"호랑이에게 천."

개들이 으르렁거리는 소리를 제외한 모든 소리가 사라

진다.

천만 원. 하루 온종일 해야 겨우 한 번이나 나올까 하는 액수. 절대 첫판에 나올 액수가 아니었다.

"호, 호랑이에게 천! 최 상무님이 호랑이에게 천을 거셨습니다!"

"……순덕이에게 백!"

"2번 순덕이에 백!"

"1번에 오십!"

"1번 호랑이에 오십-!"

"크르렁!"

"컹! 커엉!"

이젠 주인도 감당할 수 없이 날뛰며 서로를 향해 이를 드러내는 두 마리의 개들.

"자, 한 놈이 꼬리 말기 전까지 시작되는 혈투! 어떤 개새끼가 이길 것이냐! 시-자악!"

탁!

목줄을 잡고 있던 주인들이 목줄을 푸는 그 순간이었다.

"크라랑!"

"크어엉!"

삽시간에 몸을 부딪치며 서로를 향해 이빨을 들이미는 두 개들.

"우와아아아아아!"

후끈 달아오르는 분위기에 다리를 꼬고 팔짱을 낀 종혁은 호기심 가득한 눈빛으로 고개를 내밀었다.

그런 그의 팔짱을 낀 손이 팔뚝의 점퍼를 뜯어져라 쥐었다.

*　*　*

"죽여!"

"죽여 버려!"

"그래! 발부터 뷸어뜯어!"

"너한테 몰빵했다! 일버언! 천둥아-!"

피가 튀고 비명이 터진다.

하지만 말을 하지 못하는 짐승들이기에 사람들은 온몸을 내달리는 전율에 미쳐 날 뛴다.

그에 이 투견 도박판을 관리하는 운영진들이 살짝 당황한다.

"이, 이거 평소보다 더 지랄인데?"

"어쩌겠어."

노인은 유일하게 의자에 앉아 엉덩이를 들썩이는 종혁을 보며 혀를 내둘렀다.

"저 호구 새끼가 돈을 뿌리는데."

오늘 종혁이 잃은 돈이 무려 3억이다. 종혁 혼자서 평소 판을 벌였을 때 걸리는 총액의 절반 이상을 잃은 거다.

뜻밖에 횡재를 맞은 저 꾼들이 미쳐 날뛰는 게 당연했다.

그래서 아쉽다.

"쩝. 저걸로 끝이지?"

"각자 예비 선수를 남겨 놓긴 했는데……."

회장은 그건 아니라며 고개를 저었다.
"됐다고 해."
저런 호구는 한 번 맛을 들이게 하려면 제대로 들여야 한다.
방금까지 풀코스로 제대로 입맛을 돋워 놨는데, 어설픈 놈들을 출전 시켜서 마무리를 망친다?
차라리 안 하느니만 못하다.
"경기 마무리되면 바로 철수할 준비해."
"알았어, 회장님."
고개를 끄덕인 회장은 마침 경기가 끝나자 종혁에게 다가갔다.
"우와아아아."
"아아악! 내 도온-! 너희 짰지? 맞지?"
평소처럼 희비가 갈려 난장판이 되는 공간.
회장은 종혁을 향해 푸근히 웃었다.
"하하. 즐거운 시간은 되셨습니까?"
"……어이, 늙은이. 누구 놀려?"
마치 잡아 뜯듯 팔뚝이 다 터진 종혁의 점퍼를 본 회장은 씩 웃었다.
'제대로 빠졌구만.'
"이번엔 운이 좋지 않았을 뿐이겠죠. 하지만 다음에는……."
"닥치고. 그래서 늙은이 넌 또 뭔데?"
"……하하. 이 도박판을 여는 진행자입니다."
"아, 그래."

회장을 위아래로 훑어본 종혁은 코웃음을 치며 몸을 일으켰다.

"근 시일 내에 다시 판 깔아. 아니면 죽여 버릴 테니까."

"하하. 예, 즐거운 시간이 되셨길 바랍니다!"

"씨발. 판때기가 작으니 돈으로 밀어붙일 수가 없네. 원래 도박은 돈으로 밀어붙여야 따는 건데……."

'푸하하하하하하!'

호구가 호구 같은 말을 하고 있다.

정말 고맙고도 은혜로운 호구였다.

회장은 더 깊이 고개를 숙였다.

한편 차로 돌아온 종혁은 이가 부서져라 갈았다.

"개씨발……."

싫고 환멸이 났다.

원치 않은 사투를 벌이는 아이들을 보며 기뻐하고 흥분하는 모습을 연기해야 된다는 게.

그 사이에 흰둥이가 없음에 안도했던 자신이 경멸스러웠다.

그리고 미안했다.

'미안하다, 애들아. 조금만…… 아주 조금만 참아 주렴.'

그리고 원망하렴.

이대로 물러나는 자신을.

"출발하죠."

"……그래."

종혁은 핸드폰을 들었다.

"터트려 주세요, 안젤리나."

* * *

메드베제프 이사장이 맡긴 개를 훔쳐 간 건 개장수?

미국 대사관 직원의 개를 훔쳐 간 것도 개장수?

나라 망신! 경찰은 뭐하나!

경찰과 검찰이 뒤집혔다.

러시아 대사의 개가, 그것도 러시아의 2인자인 메드베제프 이사장이 친애의 증표로 준 개가 잠깐 한눈을 판 사이에 사라졌는데 그걸 훔쳐 간 게 한국의 개장수다.

잠깐 카페 바깥에 묶어 놓은 미국 대사관 직원의 개를 훔쳐 간 것도 개장수다.

경찰과 검찰, 그리고 정치권 발등에 불이 떨어졌다.

그런데 그것도 모자라 이 개들이 투견판으로 흘러간 정황이 포착됐다.

"잡아. 이 개새끼들 싹 다 잡아들여."

"무조건 경찰보다 먼저 잡아! 너희 모가지 걸고!"

눈이 뒤집힌 경찰총장과 검찰총장이 걷어찬 엉덩이에 대한민국 모든 경찰과 검사들이 몸을 일으켰다.

그건 특별수사팀도 마찬가지였다.

띠리링! 띠리링!

"어! 알았어! 3팀, 가자!"
"아따 그놈들이라고? 알았당께! 2팀 뭐혀? 튀어 나가!"
연이은 제보에 서둘러 출동 준비를 하는 특별수사팀.
2팀장 김판호는 그 와중에 홀로 고요히 있는 종혁의 모습을 발견하곤 의아함을 표했다.
"1팀장은 뭐혀? 안 가?"
"우린 아직 제보가 없어서요. 수고하……."
지이잉! 지이잉!
종혁이 말을 이어 나가던 그때, 둘의 핸드폰이 동시에 울린다.
"다녀오세요."
"……그려. 내가 부르면 그때 꼭 오드라고!"
뒤늦게 뛰어나간 김판호를 보던 종혁은 전화를 받았다.
"예, 박 부장님."
-너지? 방송국에 투견판 영상 제보한 거!
"……이야, 역시 우리 박 부장님이시네요."
-미친! 너 설마…….
"에이, 그건 너무 가셨다. 내가 아무리 잘났다고 해도 러시아 대사의 개를 어떻게 할 수 있겠어요? 그것도 러시아 부두목이 맡긴 개를?"
솔직히 이 부분에 대해선 종혁도 아직까지 심장이 벌렁거리는 중이다. 그냥 러시아 대사의 개라도 난리가 날 판에 메드베제프가 준 개가 사라졌다.
종혁은 이 정도까지 바라지 않았다.

'역시 러시아.'

화끈했다.

"그렇게까지 미친 짓 안합니다. 할 수도 없고요."

—……그건 맞지.

종혁이 미친놈이라고 해도 그렇게까지 미친 짓은 안 한다.

박영일은 이 기가 막힌 우연에 헛웃음을 터트렸다.

투견 토박꾼들을 잡아들이려고 종혁이 놈들 사이로 잠입한 와중에 러시아의 2인자 메드베제프와 미국 대사관 직원의 개가 납치되다니.

정말 어떻게 이럴 수 있나 싶을 정도로 기막힌 타이밍이었다.

—그런데 갑자기 왜 투견판을 기웃거린 거야? 걔네들이 뭔 짓이라도 했어?

종혁은 눈을 빛냈다. 상황이 이렇게 되면 연락할 거라 생각한 박영일에게 듣고 싶었던 질문이었다.

"아, 혹시 제가 며칠 전 검거한 솜이 사건 기억하세요?

—아, 그?

일명 아동 성폭력 미수 사건. 대낮에, 그것도 동종 전과가 있는 전과자에게 처참한 일을 당할 뻔한 어린이 때문에 국민의 지탄을 받은 국회의원들이 움직이고 있었다.

솜이의 신변 보호를 위해 당시 쏟아진 모든 기사에선 솜이의 이름은 감춰진 상황이었다.

종혁의 노력 덕분이었고, 그때 취재를 한 게 박영일이었다.

"그때 솜이랑 인연이 닿아서 솜이가 잃어버린 개를 찾던 중이이었는데, 그 개가 투견판으로 흘러 들어간 정황이 발견됐었거든요."

-……로또는 안 사냐?

"매달 로또 1등만큼 버는데요."

-씨발.

투덜거린 박영일은 이내 한숨을 탁 내뱉었다.

-하, 그나저나 너도 이제 바쁘겠다? 그놈들 잡으러 가야 할 테니까?

종혁은 피식 웃었다.

"오케이. 단독 인터뷰, 콜."

-흐흐. 역시 우리 종혁이야. 내가 격하게 사랑하는 거 알지?

"대신 기사 하나만 써 주세요."

-아아, 오케이! 무슨 말인지 알겠어! 캬, 국개의원 새끼들 또 특별법 발의해야겠네.

종혁은 길게 설명하지 않아도 척척 알아듣는 박영일의 모습에 흐뭇한 웃음을 지었다.

타국의 고위 인사, 그것도 러시아의 2인자가 피해를 봤다지만 그것만으로 지금까지 미뤄 왔던 법을 개정할 수는 없는 일이었다.

이렇게 손쉽게 바꿀 거 지금까지 왜 바꾸지 않았냐며, 외세에 굴복하는 것이냐며 또 다른 비난을 받을 수 있기 때문이다.

그러나 여론까지 이쪽의 손을 들어 준다면, 국회의원들도 한결 편하게 움직일 수 있을 터였다.

"아, 문자 오네요. 나중에 다시 연락드릴게요."

-그래. 오늘 석간신문 꼭 챙겨 보고!

통화를 끊은 종혁은 문자를 확인하고 묘한 표정을 지었다.

-설마 당신입니까, 최 경감님?

현몽준 당대표에게서 온 문자였다.

"이 양반 예리하시네."

절대 아니라고 답문을 보낸 종혁은 이쪽을 빤히 바라보는 오택수와 최재수를 향해 혀를 찼다.

"정말 저 아니에요."

"그럼 왜 러시아 대사 걔가……!"

찔끔!

목소리를 높였던 오택수가 다급히 볼륨을 줄인다.

"왜 러시아 부두목이 준 개로 바뀌는데……."

"그건 저도 알고 싶습니다."

말은 그렇게 했지만, 이미 러시아의 화끈한 스타일을 알고 있는 종혁으로선 감사할 뿐이었다.

어깨를 으쓱인 종혁은 회장이라는 놈에게 문자를 보냈다.

-다음 판은 언제?

탁!

그렇게 문자를 보내고 얼마나 흘렀을까.

지이잉! 지이잉!

모르는 번호로 전화가 걸려왔다.

—미쳤습니까? 이 판국에 판을 벌여 달라고? 안 그래도 어떤 미친 새끼가 우리 건지 다른 놈들 건지 모를 영상을 제보하기까지 했는데!

회장은 그게 종혁이 아닌지 의심하고 있었다. 싹 다 모자이크 됐지만, 실루엣이 꽤 낯익었기 때문이다.

종혁은 비릿하게 웃었다.

"어이, 늙은이. 그러니까 더 스릴 있지 않겠어?"

—미친…….

"이번엔 총알을 한 30억쯤 가져갈 생각인데 말이야."

'어떡할래? 내 돈 따야지?'

종혁은 결코 거부할 수 없는 덫을 던졌다.

* * *

9시 뉴스! 투견에 대해 말하다!

개장수에게 잡혀 투견판으로 흘러 들어가는 강아지들!

러시아와 미국에 굴복하는 듯한 모습을 보일 수는 없어서 어찌해야 하나 발만 동동 구르던 국회의원들.

그들은 때마침 언론에서도 입을 모아 떠들며 여론을 움

직여 주자, 마치 어쩔 수 없다는 듯이 움직이기 시작했다.

국회, 특별법 발의!
일명 흰둥이법! 만장일치 통과!
이 모양이 쏘아 올린 공!

위반을 해도 솜방망이였던 동물보호법.
그러나 더 이상 이를 좌시하지 않고 강력히 처벌하겠다는 흰둥이법이 통과되자, 전국 투견 도박꾼들은 몸을 낮출 수밖에 없게 되었다.
전과가 있는 놈들은 죄다 경찰에 소환됐고, 전국의 개장수들은 들이닥친 검경에 홍역을 앓아야 했다.
하지만…… 도박이 어디 그런다고 해서 끊을 수 있던가.
시간이 길어지자 전국 도박꾼들이 금단 증상을 일으키며 투견 도박을 대체할 무언가를 찾기 시작했다.
누군가는 투계와 투견이 횡횡하는 동남아로 떠났고, 또 누군가는 주체할 수 없는 금단 증상에 사고를 쳤다.
그러던 와중에 도박판이 열린다는 소리가 그들 사이에 은밀히 퍼졌다.
참가비 3천만 원에 한 판당 기본 판돈 5백만 원.
유례가 없는 거대한 판에 금단 증상에 시달리던 투견 도박꾼들의 눈이 뒤집혔다.

추위가 마지막 발악을 하는 2월 말의 늦은 저녁.

지방 고속도로의 한 휴게소에 차들이 모여든다.

서울, 경기, 대전, 대구, 부산, 광주 등 전국에서 찾아오는 차량들을 본 회장은 이를 드러냈다.

"흐흐. 거봐, 내 생각이 맞지?"

그 말에 다른 운영진들이 혀를 내두른다.

이런 상황에도, 아니 이런 상황이기에 아무리 판돈을 올려도 올 놈은 올 거라는 회장의 말이 딱 들어맞았다.

"아무리 그래도 그렇지……."

"나도 도박쟁이지만, 정말 도박쟁이들은……."

회원들에게만 날린 문자인데, 대체 어떻게 알고 먼저 연락을 해 온 것일까.

신원 확인을 하느라 정말 죽는 줄 알았다.

그렇게 고르고 고른 40명이다.

참가비만 들고 날라도 12억이었다.

"다들 명심해. 이번에 제대로 털어먹고 잠수 타는 거야."

특별법이 통과된 시점이니 '설마 이런 와중에 판을 열겠어?'라는 검경의 심리적인 허점을 노려 기획한 판이다.

결코 두 번은 열 수 없는 판.

하지만 오늘만 무사히 지나가면 앉을 돈방석을 떠올린 그들은 희희낙락거리며 무전기를 들었다.

"그쪽 어때?"

-별 낌새 없습니다.

-이쪽도 마찬가집니다.

신중에 신중을 기울여야 하다 보니 망잡이들도 늘린 상황.

운영진들이 걱정과 흥분에 찬 한숨을 내뱉었다.
그런 와중에 휴게소 안으로 종혁의 차가 들어선다.
타악!
“흐하핫! 오셨습니까, 최 상무님!”
차에서 내린 종혁은 다가온 회장의 멱살을 잡았다.
“내가 전에 말했지? 내가 내 돈 따고 튀면 가만 안두겠다고. 그런데 이제 와서 연락해?”
회장은 잡힌 멱살을 힐끔 보고 옅게 웃었다.
“최 상무님과 어울릴 만한 분들을 찾느라 잠시 늦었습니다. 그 부분은 사과드립니다.”
그에 종혁이 휴게소 주차장에 모인 차들을 둘러봤다.
견주들의 트럭이나 승합차들 사이에 세워진 외제차들.
“확실히…….”
표정이 누그러진 종혁은 멱살을 잡은 손을 놓으며 미소를 지었다.
“거봐. 회장도 하면 되잖아. 내가 전에 거지들과 어울리느라 얼마나 짜증 났는지 알지? 기대해. 이번엔 내가 딸 테니까.”
종혁이 손짓을 하자 최재수가 냉큼 핸드백 하나를 가져와 회장에게 건넸다.
빳빳한 현금 3천만 원이 든 명품 핸드백.
그것을 본 회장의 눈이 휘둥그레졌다.
“내 부탁을 잘 들어줬으니까 주는 선물. 핸드백은 당신 마누라나 딸 가져다줘.”

"……허험. 감사합니다. 최 상무님."

방금전 멱살이 잡혀 솟은 짜증과 혹시나 종혁을 의심하던 마음이 싹 가신 회장은 정중히 고개를 숙였고, 종혁은 그의 어깨를 두드리곤 돌아섰다.

"최 비서, 레모네이드. 편의점 음료수 말고 생으로 짠 거."

"……예."

회장은 오늘도 망나니인 종혁을 빤히 보다가 돌아섰다.

그리고 이내 곧 이동이 시작됐다.

* * *

고속도로에서 국도로, 국도에서 자세히 살펴도 모르고 지나칠 샛길로 빠져 어떤 산속 공터에 도착한 그들은 빠르게 판을 펼쳤다.

들어오는 길은 오직 하나.

그 길마저도 망잡이들이 단단히 틀어막으니 게임이 시작됐다.

"크앙!"

"커엉!"

"죽여!"

"잘한다, 천둥이!"

"호랑아!"

판돈이 커서일까. 그동안 알게 모르게 낮은 판돈에 불만을 가졌던 호구들은 첫판부터 달아올랐다.

그건 종혁도 마찬가지였다. 오늘도 점퍼 양팔뚝이 터진 그는 엉덩이를 들썩였고, 판은 점차 절정으로 향해 갔다.

"이야! 판이 너무 과열됐는데요!"

마이크를 잡은 사회자가 피와 살점으로 얼룩진 투견판 위에 올라서 사람들의 면면을 확인했다.

춥지도 않은지 벌겋게 타오르는 눈으로 얼른 다음 판을 시작하라 무언으로 압박하는 도박꾼들.

"그래서 저희 주최 측에서 잠시 쉬어 가는 의미로 깜짝 이벤트를 준비해 봤습니다!"

"이벤트?"

"깜짝?"

누군가는 왜 찬물을 끼얹으냐 짜증을 부리고, 누군가는 흥미를 드러낸다.

"바로, 바로-!"

꿀꺽!

"이벤트 내용은 20분 후에 알려 드리겠습니다!"

"뭣?!"

"이런 씨! 장난해?!"

"우우우!"

커피를 마시며 얼어붙은 몸 좀 녹이고 배도 채우라는 노골적인 진행에 발끈했던 도박꾼들은 이내 피식 웃으며 몸을 돌렸다.

그렇지 않아도 춥고 배가 고프던 참이었다.

종혁도 몸을 돌려 차로 향했고, 담배를 피우고 온 오택수가 낯살을 구겼다.

"돈이 많은 놈이나, 없는 놈이나……."

돈이 많은 놈들만 모아 놨는데 점잖은 놈이 하나 없다. 이래서 도박판을 지옥이라고 하는 것 같았다.

저들은 진정 악마였다.

종혁은 아직도 순진한 말을 하는 오택수를 보며 비릿하게 웃었다.

"몰랐어요?"

원래 있는 놈이 더한 법이었다.

"여기 있습니다, 상무님."

"아, 땡큐. 그래서 살펴본 결과는요?"

"……견주들 차량엔 접근 못했지만, 돌아보니 샛길 하나가 숨겨져 있더라."

담배를 피우는 척 슬그머니 주변을 살피고 돌아온 오택수.

살짝 아쉬워한 종혁은 그럴 줄 알았다는 듯 입술을 비틀었다.

'그럼 그렇지. 이 새끼들이 개구멍을 만들지 않았을 리 없지.'

검경이 눈에 불을 켜고 있는 상황에 기획한 판이다.

그것도 억 단위의 거대한 판.

막다른 곳인 것처럼 보여도 제 살 구멍 하나 만들어 두지 않았을 리가 없었다.

"그래서 언제까지 이 지랄을 지켜만 볼 거냐?"

도화선에 불만 붙이면 터져 버릴 듯 불만과 살의가 가

득한 오택수의 눈. 최재수의 눈도 별반 다를 게 없었다.
그에 종혁도 애써 눌러뒀던 살의를 드러냈다.
"곧이요."
판이 열린 지 2시간이 흘렀다.
혹여 경찰이 덮칠까 마음 한구석을 졸이던 놈들도 곧 긴장을 놓을 터.
정말 얼마 안 남았다.
"최 비서와 오 기사는 신호가 터지면 어떻게든 개구멍 막고……."
갑자기 입을 다문 종혁은 옆을 보았다.
통통!
어느새 다가온 회장이 차창을 두드린다.
지이잉!
"뭔데?"
"흐흐. 곧 깜빡 이벤트가 시작됩니다, 최 상무님."
"알았어. 꺼져."
오늘은 무려 4억을 잃은 종혁은 이를 드러냈고, 능글맞게 웃은 회장은 재빨리 돌아섰다.
그런 회장을 빤히 바라보던 종혁은 차갑게 중얼거렸다.
"특공대 보고 자리 잡으라고 하세요."
망잡이부터 은밀하고 신속하게 제압한 후 길을 막고 있는 차를 빼야 된다. 그래야 일망타진을 할 수 있었다.
"오케이."
오택수와 최재수는 긴장된 얼굴로 고개를 끄덕였고, 이

내 곧 깜짝 이벤트가 시작되었다.

"저희 주최 측이 준비한 이벤트는 바로, 바로-! 새끼 개새끼들의 데뷔전입니다!"

"뭐야?"

"이런 씨발?!"

왜 비싼 참가비 내며 이곳을 찾았던가.

상대에게 제대로 이빨조차 내밀지 못하는 어린 개새끼들의 재롱을 보기 위해서가 아니라 베테랑 투견들의 피 튀기는 혈투를 보기 위해서다.

잔뜩 끓어오르던 피에 찬물을 끼얹은 것도 모자라, 똥까지 뿌리려 하는 주최 측에 사람들의 얼굴이 와락 구겨졌다.

그러나 종혁은 다른 의미로 얼굴을 구겼다.

'설마?!'

그에 사회자가 재빨리 입을 열었다.

"단, 돈을 걸어도 되고 안 걸어도 되는 깜짝 이벤트!"

"음?"

"……호오?"

그렇다면 이야기가 좀 다르다.

싸움 구경 중 가장 재밌는 구경이 뭐던가.

"좆밥들의 싸움이라……."

비로소 사람들 입가에 미소가 맴돌고, 회장은 낯빛이 딱딱하게 굳은 종혁에게 다가갔다.

"애피타이저로 준비해 봤습니다, 최 상무님."

"……애피타이저라는 고급 단어를 알 줄 몰랐는데?"

'이 개새끼가?'

회장은 순간 구겨진 얼굴을 애써 폈다.

"하하. 이번엔 꼭 따실 겁니다."

"닥쳐."

종혁은 애써 태연하게 말했지만, 그 심장은 벌렁거리고 있었다.

그때였다.

"선수 입장합니다!"

종혁의 고개가 느릿하게 돌아간다.

그리고 그 망막에 강제로 끌려오는 도고 아르헨티노 한 마리가 맺힌다. 사람이 그렇게도 무서운지 꼬리를 뒤로 뺀 엉덩이 사이로 감춘 도고 아르헨티노.

"얼른 와, 이 둔탱아!"

"끙! 끄응!"

마치 앞으로 벌어질 일을 예감이라도 한 듯 온몸으로 거부를 하면서도 살려 달라는 듯 간절한 눈으로 주인을 쳐다본다.

그 처참한 모습에 종혁의 입이 그 자신도 모르게 열렸다.

"흰둥이?"

오랫동안 지켜봐 왔던 주인이 아니고서야, 동물을 전문적으로 대하는 전문가가 아니고서야 겉모습만 보고 동물을 구분한다는 건 쉽지 않은 일이다.

그래서 종혁은 자신도 모르게 흰둥이를 부른 것에 스스로도 당황했다.

그런데…….

“끙?”

옆에 있는 회장조차 들리지 않을 만큼 작은 말이건만, 도고 아르헨티노의 귀가 쫑긋 솟더니 고개가 종혁에게로 향한다.

네가 내 이름을 불렀냐는 듯, 아니 다시 불러 달라는 듯 꼬리를 흔드는 대형견의 모습에 순간 종혁의 숨이 멎었다.

“……흰둥아.”

“컹! 커엉!”

“어? 어? 이, 이놈이 왜 이래!”

‘날 부른 거 맞구나! 엄마가 보냈어?’라는 듯 방방 뛰며 이쪽으로 다가오려 힘을 쓰는 흰둥이.

결국 참지 못한 종혁은 소매를 입에 가져갔다.

“시작하죠.”

“예? 뭘 시작하는…….”

“이런 거.”

종혁은 회장의 멱살을 잡아채 얼굴부터 땅바닥에 내리꽂았다.

우득!

공터에 숨 막히는 정적이 내려앉았다.

사람들이 주춤 물러선다.

차가운 땅바닥에 처박혀 대자로 뻗은 회장의 몸이 아직 살아 있다는 듯 꿈틀거린다.

"지, 지금 뭐, 뭘 하는……."

종혁은 순간 오만 가지 생각이 드는 그들을 향해 이를 드러냈다.

"뭐하는 것 같냐?"

그때였다.

삐요요요요용!

저 멀리서 빠르게 다가오는 빨갛고 파란 불빛들을 본 사람들의 얼굴이 하얗게 질린다.

"도, 도망쳐-!"

순식간에 아수라장이 되어 버린 공터.

거적과 펜스를 가져온 놈도, 멀리 있는 사람들에게 돈을 수거하는 수거꾼도, 욕망을 이기지 못해 기어코 찾아온 호구들도 모두 마치 가을 녘 불을 지른 들판의 메뚜기처럼 펄쩍펄쩍 뛴다.

"이, 이쪽으로-! 돌아 나가긴 늦었어! 헉! 너, 너흰 또 뭐야!"

"최재수, 어떻게든 막아!"

"예-!"

"뚫어-!"

와아아아아!

저 멀리서 들리는 외침에 종혁은 뚜두둑 목을 꺾었다.

"그럼 나도 가 볼까?"

단 한 놈도 도망치게 둘 순 없었다.

웅성웅성!

"도박꾼들은 이리로!"

"주최 측은 누구야?"

"야! 내가 누군…… 악!"

"야, 이 새끼부터 얼른 찍어."

들이닥친 경찰들로 인해 공터가 시끄럽다.

끌려가지 않으려는 사람들과 끌고 가려는 경찰들.

방금 전, 투견판으로 끌고 가려는 견주와 끌려가지 않으려고 버티던 개들을 보는 듯하다.

개들도 겁을 먹고 짖는다.

"멍멍멍!"

"월월월!"

"워우우우우!"

하지만 그것도 잠시다.

"경사님!"

"이, 이건 또 뭐야! 아, 씨발!"

이빨에 물리고 발톱에 긁혀 피가 흐르는 개들이, 몸을 한껏 웅크려야 간신히 들어갈 수 있는 케이지 안에 꼬리를 감춘 채 벌벌 떨고 있었다.

이게 정녕 사람으로서 할 짓일까.

투견투견 요사이 참 말이 많았는데, 이건 결코 사람이 할 짓이 아니었다.

그들은 머리끝까지 치솟는 분노에 부들부들 떨었다.
종혁은 그런 그들에게 다가갔다.
"뭐하십니까? 일단 병원으로 옮기지 않고?"
"……뭣들 해!"
"예!"
"자자, 착하지?"
"끄으응."
멧돼지도 물어뜯어 먹을 것 같은 개들인데 손을 뻗자 겁을 먹고 더 웅크린다.
눈시울이 뜨거워진 그들은 동물보호협회와 수의사들의 협조 속에서 개들을 조심스럽게 옮기기 시작했다.
그때, 이번 검거 작전에서 망잡이 제거를 맡은 서울경찰청 특공대 SWAT의 대장은 종혁에게 복잡미묘한 표정을 지으며 종혁에게 다가섰다.
종혁은 그런 그를 향해 씩 웃었다.
"이 추운 날 고생하셨습니다."
"……쯧. 러시아 대사의 개는 찾았나?"
"아따, 1팀장-!"
"아, 저기 오네요."
2팀장 김판호가 흔히 러시아 베어독이라고 불리는 코카시안 오브차카 새끼를 데리고 오자 SWAT 대장은 이를 악물었다.
구했다. 한국 검경을 뒤집어 놓은 개를 말이다.
그리고 그 자리에 경찰의 날 때 종혁에게 망신을 당한

SWAT이 있었다.

"……고맙군. 크흠. 그럼 난 이만."

얼굴을 붉힌 SWAT 대장은 코카시안 오브차카의 머리를 쓰다듬곤 돌아섰고, 김판호는 종혁에게 귓속말을 했다.

"아따, 그란디 이래도 되나 몰러?"

어젯밤 대체 어딜 다녀온 건지 갑자기 러시아 대사의 개를 구출했다며 데려온 종혁.

그런 종혁이 은밀히 제안했다. 임팩트 없이 그냥 돌려보내는 것보다는 영화 한 편 찍어 볼 생각 없냐고.

그래서 김판호는 슬그머니 자신의 차에 이 강아지 새끼를 숨겨 함께 왔다.

"흐흐. 뭐 어때요. 다 좋은 게 좋은 거지."

김판호는 음흉하게 웃는 종혁을 망연히 바라보다 피식 웃었다.

맞는 말이다. 이왕이면 극적인 게 나았다.

"고마워. 이런 판에 끼워 줘서."

"한 식구잖아요."

고민도 하지 않고 나오는 말에 김판호는 멍해진다.

'아따, 이랑께 저 두 놈들이 저리 깨져도 충성을 하는 거겠제.'

피투성이가 된 채 구급차에 앉아 치료를 받는 오택수와 최재수.

'참말로 내 새끼들보고 배우라고 하고 싶구마잉.'

존경을 담아 종혁을 응시하던 김판호는 종혁의 옆에 앉

아 있는 대형견을 가리켰다.

“그란디 그 개는 뭐여?”

“주인이 있는 개요.”

경찰차 사이렌 소리가 울리자마자 견주가 목줄을 놓고 도망을 가자 종혁에게 다가왔던 도고 아르헨티노.

종혁은 엉덩이를 땅바닥에 깔고 앉은 흰둥이의 머리를 쓰다듬었고, 흰둥이는 혀를 내밀며 헥헥 웃었다.

“가자, 흰둥아. 네 누나 솜이 만나러.”

“커엉!”

솜이란 말에 반응을 한 흰둥이가 크게 짖었다.

원치 않았던 공간.

원치 않았던 싸움.

이제 드디어 집에 돌아간다.

흰둥이의 눈가에 눈물 자국이 생겨났다.

* * *

돌아온 우애의 상징! 경찰이 해냈다!

서울경찰청의 자랑 SWAT! 은밀히 망잡이들을 제거해!

본청과 서울경찰청의 합작. 한 편의 영화 같았던 검거 작전!

미국 대사관의 세라도 돌아오다. 이번엔 검찰!

검경, 요즘 왜 이래?!

흐뭇한 표정으로 기사의 내용을 확인하던 그때, 차 한 대가 종혁 일행이 있는 곳으로 느릿하게 다가왔다.

카락!

차가 멈춰 서자마자 가장 먼저 차에서 내리는 솜이.

"아저씨-!"

"어이쿠!"

그런 일이 있었음에도 타인에게 스스럼없이 안기는 솜.

보고 싶었다고, 자기가 안 보고 싶었냐며 잔망스럽게 묻는 솜이의 모습에 종혁의 입가에 미소가 피어난다.

"엄마가 벨트 풀어 주기 전까지는 가만히 있어야지."

"헤헤. 흰둥이는요? 우리 흰둥이는요?"

솜은 본능적으로 알아차린 건지 높다랗게 쳐진 녹색 펜스 안을 보며 몸을 들썩인다.

그런 솜이 때문에 미안해하며 다가오는 솜이의 부모들을 향해 괜찮다며 손을 저은 종혁은 솜이가 알 수 있도록 풀어서 설명해 주었다.

"흰둥이는 저 안에 있지."

"왜요?"

"흰둥이가 나쁜 사람들 때문에 아직 좀 아프거든."

"마, 많이 아파요?"

많이 아프다. 몸이 아니라 마음이.

지난 1년여간 투견 훈련을 받은 흰둥이. 이제 흰둥이에게 개를 향한 공격성은 본능이 되었다.

그래서 어쩔 수 없이 이곳 행동교정 훈련소에서 그 공

격성을 제거하는 훈련을 받아야 했다.

"그래도 우리 솜이랑 만날 수는 있을 거야. 그런데 솜아."

"네?"

"흰둥이가 많이 변했어도 따뜻하게 안아 줄 수 있니?"

"……네!"

솜은 많이 변했다는 게 무슨 말인지 모른 채 왠지 종혁이 겁을 주는 것 같아 움츠리며 대답했고, 종혁의 낯빛은 흐려졌다.

"……그래. 그럼 가자."

종혁은 펜스 문을 밀며 안으로 들어갔고, 곧 푸른 잔디밭과 저 멀리 묶여 있는 흰둥이가 둘을 맞이했다.

종혁은 그런 흰둥이에게 다가갔고, 솜은 종혁이 왜 흰둥이 말고 저렇게 커다란 개에게 먼저 다가가는지 이해를 하지 못했다.

하지만 그것도 잠시. 왜인지 낯이 익은 초롱초롱한 눈과 마주친 솜은 고개를 모로 기울였다. 그건 흰둥이도 마찬가지였다.

낯이 익은 얼굴.

낯이 익은 냄새.

잊지 않았지만, 잊었던 기억이 흰둥이의 머릿속에서 점점 선명하게 떠오른다. 무언가를 느낀 솜도 설마 하며 품에 안고 있던 당근 인형을 흔든다.

아끼는 거지만 누나니까 동생에게 양보한다며 주었던 인형.

그것을 알아본 흰둥이는 당근인형과 솜이를 번갈아 보며 몸을 들썩였다.

"끄응! 끙!"

그에 솜이도 뒤늦게 깨달았다.

"흰둥이? 저, 정말 흰둥이야?"

"컹! 커엉!"

"흰둥아—! 흐어어어어엉!"

너무 변해 버린 친구의 모습에 솜이는 결국 울음을 터트렸다.

종혁은 흰둥이를 향해 양손을 뻗는 솜이를 꽉 끌어안았다.

"흐응. 훌쩍!"

할짝할짝!

"하지 마아!"

종혁과 오택수, 최재수는 조련사의 보호 아래 흰둥이와 장난을 치는 솜이를 보며 흐뭇이 웃었다.

"선물이네요."

최재수가 아련히 웃자 종혁과 오택수는 고개를 끄덕였다.

"그렇지. 이게 우리에겐 선물이고 보답이지."

형사에게 별다른 보답이랄 게 있을까. 저렇게 웃는 모습이 형사에게 가장 큰 보답이고, 선물이다.

이 순간 그들은 자신들이 형사임에 큰 보람을 느끼고 있었다.

"오셨습니까, 최 형사님."

"아, 소장님."

방송에도 자주 나와 활약하는 교정 훈련소 소장의 인사에 종혁은 고개를 꾸벅 숙였다.

"다른 애들 교정은 얼마나 진행됐습니까?"

"……아무래도 시간이 좀 걸릴 수밖에 없죠. 그래도 너무 걱정 마십시오. 착한 애들이니 곧 원래대로 돌아올 겁니다."

애정이 뚝뚝 묻어나는 그의 모습에 종혁은 고개를 끄덕였다.

"시간과 돈이 얼마가 들어도 좋으니 원래 모습만 찾아 주십시오. 그래야……."

이 아이들이 살 수 있다.

개정된 특별법 덕분에 잘못된 주인들에게 벗어날 수 있게 되었지만, 언제까지고 무작정 동물보호센터에서 보호해 줄 수는 없는 일.

사라지지 않는 공격성으로 인해 누구에게도 분양되지 않을 뿐만 아니라, 함께 보호 조치 중인 동물들을 공격한다면 동물보호센터에서도 안타까운 결정을 내릴 수밖에 없었다.

"걱정 마십시오. 무조건 해낼 테니까!"

품에 안 들어왔으면 모르되 한 번 품은 아이들을 죽게 놔둘까.

굳게 다짐하는 소장의 얼굴을 빤히 바라보던 종혁과 오택수, 최재수는 가벼운 한숨을 내뱉었다.

드디어 사건이 모두 끝났다.

* * *

새벽녘, 하늘에서 눈이 내리며 마포대교 위에 소복하게 쌓인다.

"하아."

고요한 하늘에 흰색 입김이 덜덜 점을 찍었다가 사라진다.

교복을 입은 소녀의 얼굴이 금방이라도 눈물을 터트릴 듯 일그러져 있다.

"내, 내 잘못이 아니잖아."

소녀의 주먹 안에서 한 통의 고지서가 구겨진다.

214만 원.

중학생으로선 감히 감당할 수 없는 액수다.

"그, 그냥 친구랑 조금 많이 통화하고, 문자하고, 인터넷만 조금 했을 뿐인데……."

엄마, 아빠가 얼마나 화를 낼까.

매일 새벽 거리를 청소하러 나가시는 아빠, 힘겹게 몸을 일으켜 식당으로 향하시는 엄마.

혼이 날 거다.

그런데 그보다 무서운 건 실망할 부모님의 얼굴이다.

소녀로 하여금 다리 위를 걷게 한 공포가 다시금 엄습한다.

"히잉."
무섭다. 하지만 부모님께 혼이 날 게 더 무섭다.
소녀는 결국 발을 멈추며 옆을 보았다.
아직 해가 뜨지 않는 새벽, 검게 물든 한강물이 마치 괴물 같다.
하지만 어쩔 수가 없다. 이젠 이 방법밖에 없다.
휘이잉!
"많이…… 춥겠지? 헤헤."
소녀는 생애 마지막으로 웃었다.
그리고 신발을 벗고 그 안에 핑크색 봉투를 넣었다.
"어, 더럽게 추울걸?"
"꺄!"
화들짝 놀란 소녀가 재빨리 옆을 돌아보자, 바로 옆에 커다란 덩치에 사내가 난간에 기댄 채 서 있었다.
"야."
움찔!
"네, 네?"
"밥은 먹었냐?"
"……네?"
"안 먹었으면 가자. 배고프다."
사내, 종혁은 담배를 물며 소녀를 지나쳤다.

후루룩! 후루룩!
따끈하게 김이 올라오는 라면을 흡입하던 종혁이 고개

를 든다.

"안 먹냐?"

흠칫!

"메뉴가 마음에 안 들어? 이모!"

"아, 아뇨. 아니요!"

다급히 손을 저은 소녀는 몸을 움츠리며 눈치를 봤다.

"그…… 안 물어보세요?"

"물어보면 말해 주게?"

……도리도리.

"그런데 왜 물어봐?"

"그러…… 게요?"

"정신 빠져서는. 먹기나 해. 나도 바빠."

"네에……."

소녀는 그제야 젓가락을 들며 돈가스를 입에 가져갔다.

입안에서 뭉근하게 무너지는 돈가스.

언제나 똑같은 분식점 돈가스다.

그런데 왜일까.

주륵!

"흑! 흐윽!"

종혁은 울음을 터트리는 소녀를 안쓰럽게 응시했다.

'그깟 돈이 뭐라고.'

얼마나 무서웠을까.

종혁은 혀를 차며 라면에 밥을 말았다.

* * *

"오늘은 늦으셨네요?"

아침 11시, 종혁의 평균 출근 시간이 8시인 걸 감안하면 굉장히 늦은 시간이다.

"일이 좀 있어서."

핸드폰 요금을 완납한 뒤 집에 들어가는 걸 확인하고 다시 나오지 않나 감시하다 보니 좀 늦었다.

종혁은 탕비실 냉장고에서 빵을 꺼내 입에 물었다.

"식사도 안 하셨어요?"

"어. 그보다 별일 없었어?"

"공문 왔어요."

"공문?"

종혁은 책상 위에 놓인 공문을 확인하곤 고개를 모로 기울였다.

"이게 왜 우리한테 와?"

어느 날 갑자기 나타나 수많은 도박 중독자들을 만들어 낸 성인 오락게임, 바다이야기.

이 게임의 등장과 함께 대한민국에 성인 오락실이 폭발적으로 증가하게 됐다.

이로 인해 사행성 게임에 대한 규제가 필요하다는 인식을 심어 주며 게임물등급위원회라는 단체가 설립되기까지 했으니, 바다이야기가 불러일으킨 사회적 파장은 가히 엄청나다고 할 수 있었다.

하지만 그건 그거고, 성인 오락실을 유의해서 단속하라는 공문은 본청 수사팀에 내려올 일이 아니었다.

"오락기 유통 회사를 박살 내라는 일이라면 또 몰라도……. 일 처리 진짜."

오늘 아침 일 때문인지 괜스레 짜증이 솟는다.

십대야 아직 욕망을 제어할 수 있는 나이도 아니고, 책임감도 제대로 배우지 못했으니 자신이 한 행동이 어떤 일을 초래할지 모를 수 있다.

하지만 성인은 아니다.

충분히 생각하고 책임질 수 있는 게 바로 성인. 도박 중독은 빠진 놈이 잘못이었다.

그때였다.

띠링!

"어라?"

컴퓨터 메신저에 뜬 메시지를 확인한 종혁은 눈을 동그랗게 뜨며 김판호와 윤선빈을 봤다.

그들도 놀라서 종혁을 쳐다보고 있었다.

그들의 직속 상사인 간편신고관리과 정용진 과장의 호출이기 때문이다. 부서가 창립된 지 몇 달 만에 그가 처음으로 호출을 한 것이었다.

'호오. 이제야 견적이 나왔다는 건가?'

아마 그동안 그 어떤 업무 지시도 내리지 않은 건 분명 자신들 세 팀의 역량을 확인하기 위함이었을 터.

눈을 가늘게 뜬 셋은 몸을 일으켰다.
'정보국 소속이었던 양반이 처음으로 내리는 명령은 뭘까.'
셋의 심장이 두근두근 뛰었다.

* * *

"어서 와요."
간편신고관리과 안쪽의 집무실, 정용진 과장은 세 잔의 커피를 준비한 채 그들을 기다리고 있었다.
"충성."
거수경례로 인사를 한 셋은 자리에 앉아 처음 들어온 사무실을 둘러봤다.
선하고 푸근한 인상과 달리 있어야 할 것만 있는 공무원 사무실. 공무원의 필수 아이템이라는 난초 대신 금붕어가 세 마리가 돌아다니는 작은 어항이 있는 게 조금 특이할 뿐이다.
"왕!"
책상 위에 앉아 있는 새끼 풍산개 한 마리도 말이다.
투견 견주이자 개장수였던 놈들에게서 압수한 풍산개에게서 태어난 강아지. 이제야 눈을 뜬 이 강아지는 간편신고관리과의 마스코트 덕자였다.
본청은 경찰 이미지 마케팅팀의 건의에 의해 투견들 가운데 몇 마리를 탐지견으로 육성하는 한편, 몇몇 부서를 대상으로 이런 강아지 키우게끔 했다.

친근한 경찰 이미지 형성을 위해 말이다.

쉬이이!

"덕자 오줌 싸는데요?"

"이런."

재빨리 일어난 정용진은 책상 밑에 깔아 놓은 배변패드에 덕자를 올려놓은 후 뒤처리를 했다.

"요놈, 요놈. 오줌은 여기다 싸랬지?"

"왕!"

혼이 나는데도 좋다고 웃는 덕자.

긴장을 하며 찾아왔던 셋의 어깨가 느슨해졌다.

"아따, 고놈 장군감이네잉."

감히 본청 과장의 책상에 오줌을 쌀 수 있는 존재가 얼마나 있을까.

"아주 여장부여, 여장부."

"푸흐흐."

"큭큭."

셋은 웃었지만 매일같이 전쟁인 정용진의 입에선 한숨만 나왔다.

"이거 첫 업무 지시라 나름 분위기를 잡아 보려고 했는데 우리 딸 때문에 망쳐 버렸군요."

"왕!"

덕자를 째려보는 정용진의 말에 셋은 자세를 바로 했다.

그런 셋을 본 정용진은 미소를 지었다.

"그동안 세 팀의 활약은 잘 지켜봤습니다."

그동안 특별수사팀이 컴퓨터로 올린 사건 수사에 대해 별다른 대면 없이 승인만 하고 중간 보고도 서면으로 받은 정용진 과장.

종혁은 입술을 비틀었다.

"어떻게 마음에 드셨는지 모르겠군요."

김판호와 윤선빈도 입술을 비튼다.

신설 부서의 과장이 서면으로만 보고를 받고 지시를 한다?

작정하고 간을 보겠다는 뜻이었다.

그렇기에 종혁과 둘도 그 뜻을 따라 줬다.

"마음에 들다 뿐일까요."

싱긋 웃은 정용진은 책상에서 세 개의 종이 뭉치를 가져왔다.

터엉!

"2팀장은 이걸 조사해 주세요."

두꺼운 종이 뭉치를 받아 든 김판호는 눈을 빛냈다.

〈이미테이션 유통 조직 조사〉

"짭 파는 놈들 잡으라는 거쇼잉?"

"피해 사례가 많은데 제대로 된 조사가 이뤄진 적이 없더군요. 3팀장은 이걸 맡아 주시고."

"……성인 오락기 제조, 유통 조직을 조사하시라는 거군요."

"원래 성인 오락실이 암 덩어리였다는 거 알죠?"

알다 뿐일까. 조직폭력배의 대표 수입원 중 하나가 바로 성인 오락실이다.

"그런데 요새 바다이야기라는 게 슬금슬금 말이 나오더군요."

이 말은 즉 언제든 멱을 딸 수 있도록 증거를 갖춰 놓되 여차하면 멱을 따 비리란 뜻이다.

'요것 봐라?'

종혁을 비롯한 팀장들의 눈빛이 차가워진다.

"그리고 1팀장은……."

종혁은 정용진이 내민 서류를 보고 미간을 좁혔다.

〈가리봉동 조선족 실태 조사〉라는 내용 때문이 아니다.

서류가 축축했다.

"허험."

슥슥.

티슈로 사건 서류를 닦은 정용진은 이제 됐다고 더 깊이 내밀며 입을 열었다.

"강철선 검사님과 친분이 깊은 1팀장이라면 애들에 대해 잘 알 테죠."

움찔!

정용진을 바라본 종혁은 이내 그가 정보국 출신이라는 걸 떠올리곤 미소를 지었다.

'아버님과? 그럴 리가.'

현 중앙지검 검사장이 과거 중수부장이었던 시절 종혁

에게 진 빚을 갚는다며 때리기 시작한 조선족들이다.
'어디까지 아는 거지?'
종혁의 눈이 가늘어졌다.
"흠. 이놈들이 문제인가 보군요."
"관할서와 파출소가 요새 골머리를 썩는다는군요."
"알겠습니다. 조사해 보겠습니다."
종혁이 순순히 승낙을 하자 미소를 지은 정용진은 셋을 온화한 눈빛으로 바라봤다.
"그럼 다들 부탁드리겠습니다."
"충성."
첫 업무 지시다.
이 대답 말곤 할 수 있는 게 없었다.
그렇게 서류를 옆구리에 낀 채 사무실을 빠져나온 셋은 본청 건물을 나와 담배를 물었다.
그러다 돌연 김판호가 풀썩 웃었다.
"아따, 만만치 않은 양반이구마잉. 나가 부산청에 있을 때 밀수하던 새끼들을 줘 팼던 것은 또 우째 알았을까잉."
"그랬습니까?"
놀란 건 종혁뿐만이 아니다. 윤선빈도 놀랐다가 이내 헛웃음을 터트렸다.
"나도 그래."
종혁과 김판호는 윤선빈을 봤다.
"나도 서에 있을 때 애들 잡아 족쳤어."
그래서 당시 경기도에 암약하던 성인 오락기 유통 조직

과 여러 조폭들을 날려 버렸고, 그 일 덕분에 경기도 일대에선 일반인이 조폭을 끼지 않아도 성인 오락실을 오픈할 수 있게 됐다.

그 시류는 전국으로 퍼졌다.

"그런데 어떻게 알았을까? 그 공로를 당시 계장이랑 서장 새끼가 싹 다 가로챘거든……."

그때 그 두 놈들과 거래를 해서 경기청으로 갈 수 있었지만, 덕분에 수사 서류엔 이름조차 올라가 있지 않은 상태다.

그게 벌써 8년 전 일이었다.

"뭐여? 그런 후레질 일이 있었어? 어떤 씹새끼여?"

"괜찮아. 한상원 사건 때 목이 날아갔거든."

"흐미, 씨부럴. 겁나게 아깝네."

그런 대화를 한 김판호와 윤선빈은 슬그머니 종혁을 봤다.

종혁은 씁쓸히 웃었다.

"저도 이놈들과 악연이 좀 깊죠."

그동안의 조선족과 중국인 억압이 종혁 본인 때문에 일어났던 걸 알게 된다면 어떻게 될까.

'그땐 칼부림 일어나는 거지.'

조선족이 이 땅에서 물러나든가, 종혁이 죽든가 둘 중 하나가 될 것이다.

'그런데 과장은 이걸 어떻게 알았을까? 당시의 당사자들이 아닌 이상 그 내용을 모를 텐데……. 흠, 눈치로 끼워 맞춘 건가?'

아마 인터내셔널 잡의 일로 중앙지검 검사장과 식사를 한 게 단서를 줬을 거다.

'외에도 몇 개 더 있겠지만, 겨우 그것들만 가지고 거기까지 연결시켰다라…….'

"재밌는 분이네요, 우리의 새 보스는."

"그랑께 말여. 허벌나게 재미난 양반이 대가리가 됐당께."

"이하 동문."

세 명의 입가에 살기 등등한 미소가 피어났다.

한편 종혁과 팀장들이 떠나고 조용해진 사무실.

책상에 앉은 정용진 과장의 앞에 종혁과 두 팀장의 인사 서류가 있다. 인사과가 아니라 정보국에서 넘어온 그들의 행적들.

"참 무지막지한 인간들이야."

매번 살필 때마다 새롭다.

온갖 암초를 만나도 충분히 정상까지 갈 괴물들.

지금까지야 종혁에게 끌려다닌 감이 크지만, 그거야 그들이 이곳에 온 이유를 알면 당연한 일이었다.

하지만 이번엔 아니다.

"어디까지 해낼 수 있을까?"

몹시 기대가 됐다.

흥미롭게 웃은 그는 서류를 금고에 넣은 후 일어섰다.

"왕! 왕!"

덕자가 짧은 다리를 바쁘게 놀리며 그의 뒤를 따랐다.

* * *

“조선족 실태 조사요? 그걸 왜 해요?”

최재수로서는 당연한 생각이었다.

경찰학교를 나와 가장 가고 싶었던 곳이 어디던가.

바로 홍익파출소나 가리봉파출소처럼 강력 사건이 많은 곳이다.

하지만 그건 어디까지나 파출소 순경이었을 때의 이야기.

“연쇄 터졌어요?”

최재수가 생각하길 본청 수사팀인 특별수사팀으로서 개입할 수 있는 건 그것뿐이었다.

그러나 오택수는 달랐다. 곰곰이 생각하던 그는 눈을 크게 뜨며 종혁을 봤다.

“이거 설마 여차하면 멱살을 잡겠다는 거냐?”

“그렇겠죠.”

그게 조선족이건, 아니면 그 동네 관할서와 파출소건.

“멱살이요? 무슨 멱살요?”

최재수를 힐끔 본 오택수는 담배를 물며 헛웃음을 터트렸다.

“이제야 창설한 목적대로 움직이겠다는 건데…… 뱀이네?”

뱀과다. 선한 미소 속에 뱀의 독니를 숨기고 있었다.

“견적도 나왔겠다, 이제 사냥개들을 부려 보시겠다는 건데…… 재밌는 인간이 대가리로 왔네?”

종혁은 방금 전 자신이 한 말고 똑같은 말을 하는 오택수의 모습에 피식 웃었다.

"아, 진짜 또 자기들끼리만 알아!"

빠악!

"그러니까 공부를 하라고, 새끼야!"

"이게 공부한다고 되는 일이면 나도 했죠! ……씨발."

"씨발? 씨이발? 너 이 새끼 이리 와."

"뿡이다!"

최재수는 호다닥 도망을 갔고, 오택수는 뒷목을 잡았다.

종혁이 키득키득 웃으며 정용진에게 받은 자료를 넘겨줬다.

사락사락!

자료를 훑어보는 오택수의 눈이 점점 굳어 간다.

"……강력 사건들이 많네."

고성방가는 애교고, 기본이 주취 폭행과 흉기 위협이다.

"이 새끼들 말이 많단 소리는 들었는데……."

"일단 출발부터 하죠."

고개를 끄덕인 둘은 주차장으로 향했다.

이쪽으로 올 줄 알았던지 차 근처에서 대기하고 있던 최재수는 오택수의 눈치를 보며 슬금슬금 지정석인 뒷자리로 향했다.

종혁은 그런 그에게 차키를 던졌다.

"어?"

"언제까지 뒤에 탈 건데? 이젠 너도 운전해."

"……옙!"

인정을 받았다 생각한 최재수는 얼굴이 활짝 폈다가 이내 뭔가를 떠올리곤 당황했다.

"어…… 그, 그러면……?"

종혁은 싱긋 웃었다.

"어우. 아침에 일이 있어서 피곤하네. 도착하면 깨워 줘."

탁!

문이 닫히자 최재수는 힘겹게 목을 돌려 오택수를 봤다.

오택수의 얼굴에 환한 웃음꽃이 폈다.

"넌 뒤졌어."

'좆됐다.'

최재수의 낯빛이 사색이 되었다.

이마에 혹이 퍼렇게 난 최재수와 그러다 손가락이 물린 오택수, 그리고 잠을 청하던 종혁이 향한 곳은 가리봉동의 파출소였다.

"으그그!"

"아주 한번만 더 그래 봐. 아오, 진짜."

하마터면 손가락이 잘릴 뻔한 오택수는 어이없다는 듯 웃었고, 붙어 다니며 깡이 부쩍 붙은 최재수는 혀를 쏙 내밀었다.

"헹!"

"이 새끼가?!"

"그만해요. 남의 회사 앞입니다."

새는 바가지 안에서만 샜으면 하는 작은 소망을 한 종혁은 고개를 저으며 파출소 안으로 들어갔다.

파출소 경찰들은 범상치 않은 분위기를 풍기는 셋을 보며 고개를 모로 기울였다.

"무슨 일로 오셨습니까?"

"수고하십니다. 본청 간편신고관리과 특별수사1팀 최종혁 경감입니다. 이쪽은 팀원인 오택수 경감과 최재수 경장. 협조 공문 받으셨죠?"

"아……! 추, 충성! 벌써 오셨습니까? 아, 안쪽으로 들어오세요! 계장님-!"

"어, 이쪽으로 보내!"

"그럼 실례 좀 하겠습니다."

파출소 안쪽으로 들어간 종혁은 계장과 부소장에게 인사를 했다.

"소장님은 퇴근하시고 안 계셔서 미안합니다. 이런 공문이 올 줄 알았다면 근무 시간을 조절했을 텐데……."

왜 난데없이 그런 공문을 보내서 사람을 못되게 만드냐는 뜻이 숨겨져 있는 계장의 말에 종혁은 손을 저었다.

"아닙니다. 그냥 이 동네에 어떤 사건이 얼마나 있는지 확인하러 온 것뿐인데요, 뭘. 신고랑 사건 자료만 주시면 됩니다."

112 말고 이 파출소로 다이렉트 신고되는 사건들.

종혁이 원하는 건 그것이었다.

"그런데 그걸 왜 본청 수사팀에서 보고 싶은 겁니까?"

설마 파출소를 믿지 못해 직접 나서는 거냐, 아니면 다른 꿍꿍이가 있는 거냐는 말에 종혁은 다시 손을 저었다.

"그럴 리가요."

"그럼 뭡니까?"

한쪽 눈살을 찌푸린 종혁은 어쩔 수 없다는 듯 한숨을 내뱉었다.

"그 청장님께서 칼춤을 거하게 추시는 바람에 치안에 공백이 꽤 생겼잖습니까. 그래서 일선에서 처리하기 힘든 사건들을 저희가…… 무슨 말이신지 아시죠?"

계장과 부소장은 눈빛을 번뜩였다.

"지원?"

"……뭐 그렇다고 봐야죠. 쩝."

"어이구."

계장과 부소장의 얼굴에 안쓰러움이 번진다.

말은 지원이라고 했지만 쓰레기 청소반이다. 언제나 일선의 머리채를 휘감고 흔들던 본청의 수사팀이 쓰레기나 청소하러 온 것이다.

그것도 이렇게 젊은 엘리트 간부가 말이다.

"그리고…… 이 실태 조사가 끝나면 위로 보고가 될 테고요."

목소리를 낮춘 종혁의 말에 둘은 화들짝 놀랐다.

종혁은 이 말은 이 실태 조사가 다음 경무 정책에 반영이 된다는 뜻이었다.

"간편신고관리과가 기획조정 소속이었습니까?"

"유기적으로 돌아가는 거죠. 하하."

"어이구. 그런 거라면 적극 협조해 드려야죠."

이 협조로 인해 파출소에 대한 지원이 달라질 수 있을 터. 그들의 몸이 후끈 달아올랐다.

"안쪽으로 들어오시죠! 박 양은 여기 음료 좀 가져오고!"

"네, 네!"

"하하. 감사합니다. 오 경감님은 저랑 함께 들어가고, 최 경장은 여기 경찰분들에게 어떤 고충이 있는지 알아 와."

"예, 팀장님."

대번에 가려운 곳부터 긁는 종혁의 말에 입이 찢어졌던 계장과 부소장은 깜짝 놀랐다.

"티, 팀장이셨습니까?"

"하하, 예. 다시 인사드립니다. 간편신고관리과 특별수사1팀 팀장 최종혁 경감입니다."

영락없이 오택수가 팀장일 거라 생각했던 그들은 낯빛이 흐려졌다. 이십대 외모에 수사팀의 1팀장. 그냥 엘리트 간부가 아니었다.

그들은 방금 전 말실수를 한 게 없는지 기억을 되짚어 봐야 했다.

* * *

종혁과 오택수가 안쪽 회의실로 들어간 걸 확인한 최재수는 잠시 파출소 건물을 빠져나가 담배를 물었다.

그러자…….

딸랑!

한 여경이 따라 나오며 손을 든다.

"오랜만, 재수. 본청 갔다더니 신수가 훤해졌는데?"

"오랜만?"

최재수와 동기인 여순경.

방금 전 그녀를 발견하고 얼마나 놀랐는지 모른다.

'팀장님도 그걸 눈치채셨기에 나보고 알아 오라 한 거겠지.'

역시 따라가려면 한참 멀었다는 생각밖에 안 든다.

그리고 그와 비례해 호승심이 불타오른다.

'꼭. 언젠간 꼭.'

"벌써 경장이라면서? 와, 윗사람들 이렇게 보는 눈이 없나?"

"오랜만에 만나서 시비냐? 배가 아프면 아프다고 해."

'근데 얘가 누구였더라?'

동기인 건 기억이 나는데 그 외의 것은 잘 기억이 나질 않았다. 그래도 동기라 무척이나 반가웠다.

"그래, 아프다. 됐냐?"

"진즉에 그럴 것이지. 어떻게 지냈어?"

"일선 일이 똑같지 뭐. 맨날 출동하고 취객 상대하고. 살인사건 망 보고."

"할 일 잘하고 있단 소리네."

"잘하고 있단 소리로 들려?"

"그럼?"

최재수는 고개를 모로 기울였고, 그런 최재수를 노려보던 여순경은 한숨을 내쉬었다.

"그래, 너 학교에 있을 때부터 눈치 없었지. 에휴. 넌 좋겠다……."

"뭐가?"

"현장과 달리 본청에서 편하게……."

"야."

최재수의 얼굴이 삽시간에 굳는다.

"왜?"

"경찰 일이 힘들어?"

"……!"

"그럼 관둬. 괜히 그러다 사고 쳐서 여러 경찰 힘들게 하지 말고."

"야! 너 지금 조금 잘나간다고……."

"본청이라서 쉬운 것 같아? 네가 그딴 생각을 하는 것부터가 경찰이 덜 된 거야."

만약 자신이 이런 말을 했다면 종혁이 진심으로 턱을 돌려 버렸을 것이다.

'그리고 경멸만 들어찬 눈으로 온갖 쌍욕을 처박았겠지.'

이것도 이만큼 친해졌으니 그렇게 하는 거다. 친하지 않은 상태였으면 아예 없는 사람, 경찰 취급을 안 하는 사람이 종혁이었다. 홍익파출소에서 그랬던 것처럼.

"너 아직도 살인사건만 진짜 사건으로 치지?"

움찔!

대답을 듣지 않아도 들은 것 같은 반응.

'그래. 이제야 얘가 누군지 기억나네.'

언제나 꼭 살인사건을 수사하겠다는 말을 입에 담고 살았던 동기. 아마 경찰학교에서 맨날 20위권 안에 들어가던 엘리트였을 것이다.

그런데 그렇게 말하는 건 이 동기뿐만 아니다. 경찰학교에 입교한 합격자들 대부분이 그렇게 생각하고 살았다.

살인사건 같은 강력 사건만 진짜 사건이다. 다른 사건은 그냥저냥이다.

'나도 그랬고…….'

그러다 종혁을 보며 깨우쳤다. 세상에 별거 아닌 사건 따윈 없다는 걸.

최재수의 눈에 한심함이 맴돈다.

"내가 동기로서 충고하는데 그냥 다른 일 찾아봐."

"야! 말이 너무 심하잖아!"

"정말? 정말 심한 것 같아?"

"……."

"만나서 반가웠고, 다신 보지 말자. 경찰복 입었는데, 경찰이 아닌 인간들과는 상종도 하기 싫거든. 우리 팀장님이 그러셨어. 견장 달았으면 쪽팔리지 말자고."

코웃음을 친 최재수는 안으로 들어갔고, 남겨진 여경은 부들부들 떨며 최재수가 사라진 자리를 노려봤다.

* * *

가리봉동을 관할하는 경찰서까지 가서 사건 자료를 받고, 관할서 형사가 추천해 준 모텔에 짐을 푼 그들은 사건 자료들을 살피다 기지개를 켰다.

"끄으!"

꿀꺽꿀꺽!

미지근해진 맥주를 들이켠 종혁은 담배를 물었다. 그건 오택수와 최재수도 마찬가지다.

그들의 얼굴엔 황망함이 감돌고 있었다.

"이거 듣던 것보다 더 심각한데?"

오택수의 말에 종혁이 고개를 끄덕였다.

"예. 코드 제로 사건은 비교적 적은데, 코드 원과 코드 쓰리 사건이 많네요."

코드 원은 대부분 폭행이고, 코드 쓰리는 대부분이 절도다. 치안이 개판이었다.

"들어 보니까 이 새끼들 여차하면 칼부터 휘두른대요. 그래서 피로가 심하다고……."

종혁은 최재수를 봤다.

"왜? 최 경장 동기가 그렇게 말해?"

움찔!

"……정신적으로 많이 몰려 있더라고요."

종혁은 고개를 끄덕였다.

치안이 안정화되어 있지 않은 이 시기에 이곳에서 일개 순경이 버티긴 쉽지 않을 터였다.

"다른 경찰들은?"

"비슷했어요. 모두 인력 충원과 현장 대응 매뉴얼 강화를 가장 바라더라고요. 그래서 이상했고요."

최재수는 눈에 불을 붉혔다.

"이미 저희가 매뉴얼은 강화시키지 않았어요?"

"……강화시켰지."

그때 가장 좋아했던 게 바로 일선에서 고군분투하는 파출소 경찰들이다.

'그런데도 더 강력한 대응 매뉴얼을 원한다라…….'

"이건 이놈들이 이 자료보다 더 흉악하다는 건데…… 어쩌면 다른 이유가 있든지."

이를테면 보복.

그것도 솔직히 말이 안 된다.

감히 경찰에게 보복을 한다? 이 동네 형사들이 가만있을 리가 없다.

"대체 뭐가 뭔지……."

"그럼 확인해 봐야죠."

"어떻게?"

"양꼬치나 먹으러 갑시다."

"응? 갑자기요?"

"아, 양꼬치 좋지. 빼갈도 시킬까?"

종혁과 오택수는 외투를 챙겨 들며 일어섰고, 갸웃거리

던 최재수는 결국 얼굴을 구겼다.

"뭔데요? 왜 또 당신들만 아는데! 좀 말해 달라고, 씨발!"

"……넌 뒤졌다, 새끼야!"

"악! 아악!"

"적당히 패고 나오세요."

종혁은 고개를 저으며 모텔을 나섰다.

4장. 미꾸라지

미꾸라지

"这儿这儿!"

"아우. 죽겠다!"

중국어와 한국어가 문밖으로 쏟아져 나오는 허름한 식당.

드르륵!

문을 열고 들어가니 노릇하게 구워지는 고기 냄새와 담배 냄새가 콧속을 파고든다.

힐끗 종혁들을 본 손님들은 다시 목소리를 높이고, 종혁은 빈자리를 찾아 앉는다.

"여기!"

"네, 갑니다!"

이제 중학생이나 됐을까. 밤송이머리를 한 소년이 메뉴판을 들고 헐레벌떡 뛰어온다.

"시킬 때 벨 눌러 주심 됩니다."

약간은 어눌한 한국말.

"아아, 다시 올 필요 없이 양꼬치 6인분이랑 소탕, 맥주 아무거나 줘요."

"그…… 양은 좀 냄새가 남다. 괜찮슴까?"

주문도 했겠다 오택수와 대화를 나누려 고개를 돌리던 종혁이 걱정 어린 시선을 보내오는 소년을 보았다.

"그럼 대충 알아서 가져와요. 남은 건 팁."

종혁은 십만 원 수표를 찔러 줬고, 소년의 얼굴은 확 밝아졌다.

"예, 알겠슴다!"

꾸벅 허리를 숙이고 주방으로 향하는 소년.

종혁은 그런 소년을 대견하다는 듯 응시했다.

"그 형사님이 추천해 줄만 한 곳이네."

서비스를 보면 맛을 안다.

종혁은 작은 기대감을 품었다.

"다들 담배를 피우는 분위기 같으니 우리도……."

드르륵!

그때, 종혁은 문을 열고 들어오는 사람을 보곤 피식 웃었다.

몸집이 종혁보다 커 보이는 삼십대 중반의 사내가 거친 외모의 남성들을 데리고 들어온다.

그들을 본 최재수는 화들짝 놀랐다.

"어쩐지……."

왜 묻지도 않은 식당을 알려 주나 했었다.

"어이구, 여기 계셨어요?"

능글맞게 웃으며 다가오는 사내.

종혁도 능글맞게 웃었다.

"선배님이 가르쳐 주신 식당이라서 한번 와 봤죠."

그랬다. 외모는 건달 뺨치게 생긴 사내는 오늘 종혁에게 협조를 해 준 이곳 경찰서의 강력계 형사였다.

"그런데 선배님은 팀원들과 회식하러 오셨나 봐요?"

"잠시 저녁 먹으러 온 거죠."

"그럼 합석하시죠? 안 그래도 좀 많이 시켰거든요."

"어이구, 이거 미안해서……."

말은 그렇게 했지만, 그들은 냉큼 옆 테이블을 붙이며 자리를 만들었다.

"오셨습까, 형사님!"

마침 주방에서 나오던 소년이 환하게 웃으며 다가온다.

"오냐, 왔다. 꼬치랑 맨날 먹는 거 줘."

"알겠습다."

왠지 종혁과 형사를 번갈아 보며 다행이라는 표정을 지은 소년이 다시 주방으로 향하자 형사의 얼굴에 안쓰러움이 번진다.

"재가 소년 가장인데, 여기 마음씨 좋은 주인아저씨 때문에 근근이 먹고살아요."

그런 사정이 있는지 몰랐던 종혁은 혀를 찼다.

"어린 나이에 타지에 와서 고생이네요. 어쩌다가 그렇게 된 겁니까?"

"함께 넘어온 아비가 공사판에서 일을 하다가 다쳤거든요. 그래서 뭐 우리 70, 80년대처럼 학교 관두고 일하는 거죠."

"저런…… 용돈을 좀 넉넉하게 챙겨 줘야겠네요."

"그래 주면 좋죠. 그보다 본청은 좀 어때요? 할 만해요?"

둘의 이야기가 본격적으로 시작하려고 하자 오택수는 최재수를 데리고 옆 테이블의 형사 무리에 합석했다.

이윽고 음식이 나오고 맥주를 기울이자 형사는 본색을 드러냈다.

"그래서 뭐 좀 나온 거 있어요?"

그들에게도 골칫거리인 치안 문제.

얼마 전에도 이쪽 지검에서 경찰과 협력해 대대적인 단속을 벌이며 범죄자들을 잡아들였는데 그것도 그때뿐. 한 달이 채 되지 않아 다시 원래대로 돌아왔다.

술에 취해 꼬장 부리고, 흉기를 휘두르고.

형사, 조주환으로선 그게 좀 이해가 되질 않았다.

거의 반년마다 동네를 뒤집는데 배우는 게 없다?

요샌 대응 매뉴얼도 바뀌어서 강력하게 제압을 하는데?

'원숭이처럼 빡대가리가 아니고서야 말이 안 되지.'

혹여 본청이라면 뭔가를 찾을까 순순히 협조를 했던 조주환은 기대감을 보였다.

하지만 종혁은 고개를 저었다.

"아직 주신 자료도 다 살펴보지 못했는걸요."

"쩝, 그래요?"

"그보다 이 동네 조폭들은 좀 어떻습니까?"

"어휴. 말도 마요. 형사밥 먹은 지 10년 넘은 나도 질려버릴 정도예요. 이 거지 같은 동네에 대체 뭐 대단한 게 있다고 그렇게 기어 들어오는 건지……."

치우면 다른 놈이 슬그머니 기어 들어와 그 자리에 똬리를 튼다.

그러다 대대적인 단속에 쓸려 나가고, 또 기어 들어온다.

이게 반복이다.

"바퀴벌레 같은 새끼들."

바퀴벌레가 왜 바퀴벌레겠는가. 박멸할 수가 없어서 바퀴벌레다.

종혁은 답답한 마음에 담배를 물었다.

"따로 관리하는 놈들은 없는 겁니까?"

조주환의 눈이 살짝 커졌다.

'그걸 알아?'

놀랐던 조주환은 고개를 끄덕였다. 영화 따위에서 이런 부분을 많이 다뤘으니까.

어쩌면 종혁이 팀장이 되기 전 있던 부서에서 배웠을 수도 있다.

"에휴, 있었죠. 싹 쓸려서 문제지. 검찰 놈들 융통성 없는 건 진짜……."

'에고.'

검찰이 왜 그랬는지 모르지만, 그래도 본인의 잘못 같

은 종혁은 뜨끔했다.

"뭐 그래도 요새 좀 묵인해 주는 애들이 있긴 해요."

목소리를 낮춘 조주환의 말에 종혁은 눈을 빛냈다.

"청사파라고 몇 개월 전에 들어온 놈들인데, 말을 알아듣는 귀가 있더라고요."

들어오자마자 마작 도박장을 열기에 몇 대 좀 타일렀더니 알아서 몸을 낮춘 놈들. 이 동네 주민들의 피를 빨아먹으려 드는 게 아니라 나름 선을 지키려 하기에 적당히 눈을 감아 주고 있는 실정이었다.

"진상 다루는 솜씨가 제법인가 보네요?"

간단한 예를 들어 마작 도박장. 한국의 고스톱처럼 이들 조선족과 중국인들에게는 국민도박이라 불법이라고 해도 뿌리를 뽑을 수가 없는 마작.

누군가는 딸 테고, 누군가는 잃을 것이다.

그런데 잃은 사람이 가만있을까?

무조건 사고를 친다. 그러면 경찰은 또 출동을 해야 된다.

하루에도 몇 번씩, 몇 십 번씩 말이다.

안 그래도 부족한 경찰 병력, 그런 출동이 거듭되면 금방 퍼져 버리고 만다. 그래서 대신 관리하라고 묵인하는 거다.

괜히 여기저기 퍼져서 하다가 훗날 시체가 나오는 것보단 한데 뭉쳐서 하게 만드는 게 대응하기 편하니까.

참담하지만 어쩔 수 없는 현실이었다.

"그렇지 않았다면 벌써 잡아먹혔겠죠. 여기 사람들 대

가 얼마나 센데.”

고개를 끄덕인 종혁은 미간을 찌푸렸다. 조주환과 대화를 하니 더 이해가 되지 않기 때문이다.

회귀 전과 달리 주기적으로 동네가 뒤집힌다.

솜방망이 단속으로 끝나는 게 아니라 조폭이 잡혀 하고 범죄자가 잡혀간다. 경찰도 강력하게 대응을 한다.

동물이라고 해도 배우는 게 있어야 했다.

‘그런데 회귀전과 비슷한 상황이란 말이지…….’

아무리 생각해도 이해가 되지 않는 모습.

‘대체 뭐가 이들로 하여금 도덕의 고삐를 풀게 만드는 거지?’

이곳 손님들도 목소리가 좀 높을 뿐, 그냥 평범하게 일상적인 이야기를 하며 평범하게 술을 마실 뿐이기에 이곳을 찾은 이유도 바래지고 있었다.

아무래도 자료를 더 살펴봐야 할 듯싶었다.

이 동네에 도착한지 반나절도 되지 않았으니 현재로선 그것밖에 할 게 없었다.

‘읽다 보면 뭔가 나오는 게 있겠지. 그런데 언제 다 살펴보냐…….’

이 작은 동네에 사건사고는 또 왜 그리 많은지, 채 10분의 1도 살피지 못한 자료에 한숨을 푹푹 나올 뿐이다.

“에휴. 한잔하시죠.”

“하하. 그래도 너무 이상하게 생각지 말아 주세요. 사람들이 좀 거치긴 한데 대부분 좋은…….”

드르륵!

반사적으로 열리는 문을 봤던 형사들은 얼굴이 벌겋게 달아오른 남자 셋이 들어오자 이내 곧 신경을 끄며 고개를 돌렸다.

하지만 다시 그들을 봐야 했다.

'칼? 도끼?'

넙적한 것이 중식도처럼 보였다. 나름 옷으로 가렸지만 태가 났다.

종혁은 조주환을 봤다.

"조금 거친 것뿐이라면서요?"

"어흠……. 어휴, 왜 저러지?"

얼굴이 발개진 조주환은 팀원에게 고갯짓을 했고, 다른 회사 그것도 본청 식구에게 망신을 당한 것에 부끄러워진 형사는 이를 악물며 일어섰다.

약간의 실랑이가 있은 후 형사는 중식도와 과도 두 개를 압수해 돌아왔다.

종혁의 눈이 짜게 식었다.

"쟤들이 이 동네 깡패들입니까?"

"커흠. 아무래도 자기방어가 과한 사람들인가 봐요. 어휴, 진짜. ……씨발. 뿌드득!"

망신도 이런 망신이 있을까.

울화가 터진 조주환은 술을 연신 들이켰지만, 종혁의 눈빛은 낮아졌다.

'저런 모습도 회귀 전과 같은데…….'

치안이 좋지 못한 곳에서 살다 왔기에 남의 손을 빌리기보다 자신의 손으로 해결하려는 마인드가 있는 조선족.

물론 그렇지 않은 사람들이 훨씬 많다지만, 그래도 이들이 흉기를 패용하고 다니는 모습은 썩 낯선 게 아니었다.

"아, 진짜 모르겠네."

머리를 벅벅 긁던 그 순간이었다.

"봤지? 그냥 순순히 무기 주니까 저 한국 공안 새끼들이 별말 안하는 거?"

방금 전 중식도를 뺏긴 놈 입에서 튀어나온 중국어에 종혁의 눈이 가늘어졌다.

"왜 그러시는……."

"쉿. 잠시만요."

"역시 형님 말이 모두 맞습니다!"

"이야, 한국 공안은 참 물렁하네요?"

"보통 물렁한 게 아니야. 나 오늘 술 먹고 행패 부리다 경찰서 갔다 온 거 들었지? 그런데 봐. 맞은 곳 있어?"

그 말에 과도를 뺏긴 놈들이 초롱초롱한 눈으로 고개를 끄덕였다.

"와, 연변이었으면 왜 귀찮게 했냐고 반병신이 됐을 텐데?!"

"이 새끼들 죄다 샌님이야."

종혁은 가슴이 꿀렁였다.

'아, 그러시다? 강화된 매뉴얼이 설렁하다? 와, 진짜 이걸 확 패 버릴 수도 없고.'

기분 나쁜 말을 들었다고 패 버리면 어디 그게 형사인가, 깡패지.

그래도 부아가 치민 종혁은 실실 웃으며 사내를 봤고, 그 시선을 느낀 건지 눈이 마주친 사내는 잠시 놀랐다가 히죽 웃었다.

"뭐, 이 버러지 새끼야. 좆같은 공안 새끼."

실실 웃는 낯으로 고개를 살짝 숙이며 하는 중국어.

아무것도 모르고 들으면 그냥 인사를 하는 줄 알 것이다.

그러나 중국어를 아는 식당 내 조선족들이 슬그머니 입을 다물었고, 종혁은 히죽 웃으며 손가락을 까딱였다.

"嘿来这里(야, 이리와 봐)."

놈이 눈을 부릅뜬다.

그건 저들이 무기를 뺏기자마자 묘하게 경계심을 세우던 식당 내 다른 손님들도 마찬가지다.

"니, 니 중국말 할 줄 아니?"

"어, 알아. 그러니까 튀어 와라, 이 자라 같은 새끼야."

종혁의 유창한 중국어에 손님들은 재빨리 모른 척을 했고, 놈은 얼굴을 와락 구기며 다가왔다.

"왜, 왜 불렀습니까?"

종혁은 대답 대신 그의 배를 걷어찼다.

퍼어억!

"아악!"

가볍게 걷어차여 바닥을 뒹구는 놈.

종혁은 당황하는 놈에게 다시 손가락을 까딱였다.

"다시 와."

억지로 몸을 일으킨 놈은 엉덩이를 뒤로 빼며 발악하듯 외쳤다.

"내, 내게도 인권이라는 게 있소! 이러지 마오!"

그제야 튀어나오는 한국어에 종혁은 헛웃음을 터트렸다.

"인권, 씨발. 확 명예훼손으로 털어 버릴라. 들어 보니 고의적으로 사고를 치는 것 같던데 그것도 털어 줘?"

"……."

"왜? 방금 말 잘하던만? 뭐, 버러지? 좆같은 공안? 하, 이 씨부랄 새끼를 어떡하면 좋지?"

종혁의 중국어에 놀랐던 조주환과 형사들이 몸을 들썩인다. 그들의 표정이 살벌해지자 놈의 몸은 점점 움츠러들었다.

종혁은 다리를 꽜다.

"내가 니들 새끼들 때문에 중국어를 배운 놈이거든? 지금부터 두 개의 선택지를 준다. 하나, 우리가 술 다 마실 때까지 대가리 박고 있는다. 둘, 불법무기소지죄로 끌려가 48시간 동안 대가리 박고 있는다. 둘 중 뭐 고를래?"

놈의 눈이 데구루루 굴러 간다.

"튀어 봐. 내가 너 잡나, 못 잡나."

얼굴을 와락 구긴 놈은 방금 전 자신이 있던 자리로 걸어가 맨바닥에 머리를 박았고, 종혁은 당황하는 놈의 일행들을 보며 고개를 모로 기울였다.

"너흰 뭐하냐? 아, 한국어 못 알아들으면 중국어로 씨불여 줘?"

스윽! 쿵! 쿵!

식당에 세 개의 엉덩이가 동산처럼 봉긋 솟았다.

"조금이라도 엉덩이 내려오거나 아가리 뻥끗하면 오늘 날 새도록 마신다."

"끄으응!"

혀를 찬 종혁은 멍하니 쳐다보는 조주환 형사를 보며 싱긋 웃었다.

"받으시죠."

"예, 예. 그, 그래요. 으하핫! 그럽시다! 야, 니들도 벨트 풀어!"

"옙!"

순간 분위기가 달아오르자 종혁은 손을 들었다.

"사장님! 여기 식당에 술이랑 안주 싹 돌려요! 내가 쏩니다!"

"와아아아아아……!"

이쪽이 좋든 싫든 공짜술은 환영이라는 듯 얼어붙었던 분위기가 순식간에 풀려 버렸다.

* * *

탁!

술을 마신 다음 날부터 제대로 시작해 이틀에 걸쳐 사건 내역을 모두 살핀 종혁은 머리를 쓸어 올리며 천장을 봤다.

"……재밌네."

종혁과 잔뜩 피곤한 얼굴을 한 오택수의 입가에 헛웃음이 번진다.

재범률이 상당히 높다.

이 말은 즉, 사고를 치고 끌려간 놈이 풀려나자 다시 사고를 친단 소리다. 심지어 요새는 범죄율도 상승하고 있다.

"며칠 전 그놈처럼 생각을 하는 건지, 아니면……."

"일선에서 솜방망이 처벌을 하든지. 둘 중 하나겠죠."

둘 다 골치가 아플 만큼 귀찮은 일이다.

"드르렁, 컥! 응? 뭐가요?"

"……하."

몸을 일으킨 오택수가 최재수의 머리채를 잡아끌며 화장실로 향했다.

"아악! 악! 자, 잠깐!"

쿵! 쏴아아아아!

"차, 차가! 뜨, 뜨거?! 뜨거워요! 뜨겁다고, 이 새끼야!"

동네에서 제일 좋은 모텔이라지만, 모텔 수준을 벗어나지 않은 방음에 종혁은 핸드폰을 들었다.

—여보셔요. 간편신고관리과 특별…….

"예, 2팀장님."

—어, 1팀장. 뭔 일이여?

"주무셨어요?"

–어이구. 이제 인나야제. 그쪽은 좀 어떠? 뭐가 좀 나와?

"도통 견적이 안 뜨네요. 그쪽은요?"

–우리도 마찬가지제. 아따, 이놈 새끼들 겁나게 쥐새끼 같아야. 숨어서 나오질 않어. 나가 서울 지리를 모른께 찾을 수도 없고.

그럴 거라고 생각해서 전화했다.

"그럼 남대문시장 쪽부터 조져 보세요. 그 동네에 짜가들이 잘 풀리거든요."

–남대문?

"오후부터 좌판 깔아요, 걔들."

–뭐여, 그랬어? 사흘 동안 삽질만 오지게 했네잉. 오케이, 땡큐. 아, 이 말이 도움이 될지 모르겄는디…… 갸들 대다수가 취업비자로 들어온 거 알제?

"알죠."

이민을 한 사람도 많지만, 취업 비자만 갱신하는 놈들이 더 많다.

–안다니 다행이네. 그놈들을 한국 사람이라고 생각지 마러. 그럼 나중에 또 통화하자고.

종혁은 전화가 끊긴 핸드폰을 침대에 던지며 담배를 물었다.

"알지 왜 모를까."

낯선 이국땅, 스스로를 방어하기 위해 뭉치기 시작해 나중엔 집단 이기주의로 발전하는 조선족들.

꽤 많은 수가 자신들의 나라는 중국이라고 말하고 다니

는 모습을 보면 절로 혈압이 솟는다.

필요하면 동포 한국인, 아니면 중국인.

고개를 저은 종혁은 몸을 일으켰다.

"대충 씻고 나와요. 밥 먹게!"

아직 겨울이 가시지 않은 아침의 거리는 꽤 추웠다.

"에, 엣취! 뜨거워…… 추워……."

피부가 따갑도록 뜨거우면서 춥기도 한 지랄 맞은 상태에 최재수는 오택수를 죽일 듯 노려봤고, 오택수는 별다른 반응 대신 그냥 손을 들었다.

깨갱 하는 최재수의 모습에 종혁은 이젠 반응하기도 지친다며 고개를 저었다.

그러다…….

"음?"

수군수군.

거리에 있는 사람들이 경계 어린 눈으로 종혁을 본다.

'소문이 퍼졌나 보네.'

좁은 동네다 보니 그저께 있었던 일이 모두 퍼진 것 같다.

적당히 해장국을 파는 곳에 들어가 앉으니 최재수가 심각한 표정을 한 채 입을 열었다.

"이렇게 강력 범죄율이 높은 건 혹시 문화랑 생각의 차이 때문이 아닐까요?"

"그건 뭔 개소리……."

"아뇨, 계속 들어 보죠. 해 봐."

최재수가 제법 핵심을 찔렀다. 강력 범죄율이 높은 이유는 그 문화 차이가 크기 때문이다.

“제가 살펴본 조서들 중 이런 말이 있더라고요.”

왜 우리만 이렇게 잡는 거냐, 우리도 너희랑 똑같은 사람이다.

술 마시고 욕도 하고, 취해서 사고도 치고. 사람이라면 그럴 수 있는 거 아니냐.

참고로 이 말은 술 먹고 무전취식을 하다 쫓아온 주인에게 흉기를 휘두르다 상처를 입힌 놈이 한 말이다.

이 외에도 왜 별거 아닌 일로 왜 그러냐는 말을 하는 놈들도 많았다.

후안무치 그 자체였지만, 그들의 평소 생각과 자라 온 생활상이 어땠는지 알 수 있는 부분이었다.

“하, 씨발. 그래, 네 말이 맞다 치자. 그럼 걔들은 다 붕어 대가리냐? 그렇게 계속 잡히면 결국 지가 손해라는 걸 모르는 붕어 대가리야? 걔들은 뭐 상식이란 게 없어?”

“하, 하지만…….”

“아냐. 오 경감님 말처럼 이해가 안 되는 부분이 있긴 하지만, 그래도 나름 핵심은 짚었어. 잘했어.”

“헤헤…….”

최재수는 봤냐는 듯 오택수를 봤고, 오택수는 얼굴을 와락 구겼다.

“음식 나왔습다.”

“오, 고마워요.”

뜨끈한 소탕에 그들은 잠시 대화를 멈추기로 했다.

"그……."

"음?"

"다 그런 사람만 있는 건 아닙다. 한국을 제2의 조국처럼 생각하는 사람이 훨씬 많습다."

종혁은 푸근히 웃었다.

"알아요. 상식이 없는 사람은 소수라는 걸. 하지만 가끔은 그 소수가 다수, 혹은 전체가 되기도 해요."

종혁은 주방에 서서 이쪽을 보는 가게 주인을 응시하며 말했다.

이건 작은 충고다. 계속 이렇게 그런 놈들의 망종을 지켜보기만 하면 결국 피해를 받는 건 너희 조선족이라는 작은 충고.

"명심해요. 이 민주주의 사회에서 자유를 누리기 위해선 제일 먼저 지켜야 하는 게 그 상식이에요. 세상 전체가 상식이라 규정한 그 상식. 그리고 도덕."

그게 어긋났음에도 뻔뻔한 짓을 하니 지탄을 받는 것이다.

그렇지 않으려면 방법은 두 가지밖에 없다.

선을 긋든지, 아님 자체적으로 정화하든지.

그럼으로써 저들을 믿고 들인 한국에 대한 신뢰를 지켜야 했다.

순간 눈이 파르르 떨린 소년은 잠시 생각에 잠긴 모습을 보이다 화들짝 놀라며 고개를 숙였다.

"맛있게 드십쇼."

소년이 떠나자 종혁은 한숨을 내쉬며 숟가락을 들었다.
그때였다.
드르륵.
한 무리의 손님이 가게 문을 열고 들어온다.
반사적으로 시선을 줬다가 거두던 종혁은 순간 멈추며 눈을 껌뻑였다.
'뭐야, 저놈이 여기 왜 있어?'
여기서 볼 거라곤 생각지도 못했던 놈.
종혁은 돌아가려는 고개를 필사적으로 멈춰야 했다.
얼마 전 한국은 계획보다 1년 앞당겨 5천 원짜리 신권을 발행했다.
그 이유는 하나다.
바로 지금 들어온 놈, 위조지폐범 정문철 때문이었다.
위조지폐를 만들어서 한다는 짓이 고작 구멍가게에서 껌을 사고 남은 거스름돈으로 먹고사는 것이었던, 일명 소심한 위조지폐범.
무려 8년이나 위조지폐를 사용했으나, 피해액이 2억여 원에 그쳤을 만큼 소심하기 짝이 없는 놈이었다.
하지만 그 탓에 무려 8년이나 검거되지 않을 수 있었다고도 할 수 있었다.
신권이 발행되며 구권이 점차 사라지고, CCTV가 없는 구멍가게 대신 편의점이 들어서기 시작하고서야 놈은 검거되었다.
어쩔 수 없이 한 번 갔던 구멍가게를 또 들르면서 덜미가 잡힌 정문철.

'근데 왜 저런 놈들이랑 있지?'

수사망이 조금씩 좁혀들자 한곳에 정착하지 않고 전국을 누볐던 정문철이니 이곳에 있는 것도 이상한 일은 아니었다.

문제는 왜 저런 놈들과 어울리고 있냐는 것이었다.

"뭐야, 저놈들은?"

"희멀건 한 게 한국인인가 본데?"

"그럼 덩치만 큰 풍선인가?"

"하하하하하!"

거만한 걸음으로 들어와 담배를 물며 대뜸 개소리부터 지껄이는 미친놈들. 그것도 모자라 위협을 하려는 건지 도끼나 칼 따위를 테이블 위에 올려놓는 또라이들.

'아무리 봐도 조선족 깡패 새끼들인데? 대체 왜 저런 놈들과 어울리는 거지?'

그것도 한껏 위축된 모습으로 말이다.

생각이 깊어지던 종혁은 힐끗 오택수를 쳐다봤다.

"하지 마."

"……안 해요."

마음은 굴뚝같지만 이 자리엔 종혁 혼자만 있는 게 아니다. 괜히 성격을 참지 못해서 오택수와 최재수를 휘말리게 할 수는 없다. 그건 민폐였다.

'날 어떻게 보고.'

그런데 오택수처럼 생각하는 사람은 또 있었다.

주방에 들어간 소년이 연변식 김치를 담은 접시를 가져온다.

두 눈에 걱정이 가득 서린 소년은 목소리를 한껏 낮춰 말을 했다.

"저, 전에는 형사님 때문에 말 안 했지만, 웬만하면 이 동네에 안 오시는 게 좋을 검다."

종혁의 눈이 가늘게 떠졌다.

"왜요? 설마 전에 걔들 때문에? 몇 대 맞았다고? 지가 먼저 잘못했는데?"

"바, 방금도 보셨다시피 이 동네엔 한국 사람을 안 좋아하는 사람 많습다. 물론 다 그런 게 아니고……."

쩔쩔매는 소년의 모습에 종혁은 걱정 말라는 듯 웃어 주었다.

"무슨 말인지 알겠어요. 충고해 줘서 고마워요."

이제야 전에 소년이 짓던 다행이라는 표정이 무슨 이유로 비롯된 건지 깨달은 종혁은 돈을 내려놓고 몸을 일으켰다.

"잘 먹고 갑니다."

그때였다.

"크크. 도망치는데?"

"원래 한국인들 허우대만 멀쩡한 얼빵한 돼지들이잖슴까."

놈들이 한국어로 조롱을 하자 종혁과 오택수, 최재수의 발이 잠시 멈춘다.

오택수는 황급히 종혁의 손을 잡으며 고개를 저었다.

'거, 폭발 안 한다니까 그러네.'

종혁은 혀를 차며 발을 뗐고, 그 모습에 흥미를 잃은 놈들은 혀를 차며 신경을 껐다.

"야, 꼬마. 주문 받아!"

"예!"

"우리 화가님은 뭘 드시겠슴까?"

"소탕과 꿔바로우. 전 이거면 될 것 같습네다."

멈칫!

문을 열던 종혁이 잠시 멈춘다.

'북한 사람……? 이건 또 뭐지?'

"가자, 제발. 응?"

"아? 예."

드르륵, 탁!

등 뒤로 문이 닫히자 생각에 잠겨 있는 종혁을 힐끔 본 오택수가 한숨을 푹 내쉰다.

"후우."

하마터면 좆될 뻔했다.

놈들이 무슨 말을 했는지 모르지만, 힐끗 본 놈들의 표정을 봤을 땐 결코 좋은 말은 아니었다.

자신이야 종혁이 폭주해도 얼마든지 안 다칠 자신이 있지만, 아직 현장을 많이 겪지 못한 최재수라면 분명 몸 한 군데에 구멍이 뚫렸을 상황.

이건 종혁이 정말 잘 참아 준 것이었다.

'원래부터 이런 놈이긴 했지만, 그래도 팀장이라고 좀

더 참을성이 생겼네.'

"시발!"

"……넌 또 왜 새끼야."

"아니, 억울하잖아요! 대체 우리가 뭘 잘못했다고! 이럴 거면 팀장님이 사 준 공짜 술을 받아 처먹질 말든가!"

최재수라고 사람들의 시선을 느끼지 못했을까.

"받을 건 받아 처먹어 놓고 왜 그러는데!"

"우린 이방인이라는 거지."

한국 땅인데 한국인이 이방인 취급을 받는다.

물론 소년처럼 그렇지 않게 생각하는 사람도 많을 테지만, 착한 사람도 많을 테지만 참 엿 같은 일이었다.

씁쓸히 웃은 오택수는 종혁을 봤다.

"안 가?"

"아뇨. 잠시만요."

'위조지폐범과 탈북자로 보이는 북한 사람, 그리고 조선족 깡패들. 탈북자와 조선족 깡패라…… 조합이 쎄한데?'

종혁은 간질거리기 시작한 코를 긁었다.

"오 경감님."

"어, 그래. 한번 따 보자."

"예?"

"네가 코를 긁었잖아."

종혁이 코를 긁으면 뭔가 냄새를 맡았다는 것이다. 그게 이번 실태 조사와 관련된 일이든 다른 사건이든.

"오. 나를 너무 잘 아는 거 아니에요?"

"시꺼. 최재수, 지금 바로 숙소로……."

"핫팩이랑 장갑, 목도리 다 가져오면 되죠? 카메라도?"

최재수는 대답조차 듣지 않고 숙소로 달렸고, 종혁과 오택수는 그 모습을 멍하니 바라봤다.

'이제야 합이 맞는 건가?'

합은 예전부터 맞았지만, 둘이 생각하는 건 굳이 말을 하지 않아도 알아서 할 일을 해내는 단계였다.

* * *

드르륵!

"쯥. 역시 아침 소탕은 여기가 제일이라니까!"

"아, 안녕히 가십쇼."

"오냐. 다음부턴 좀 더 빠르게 굴고. 확 발목을 잘라 버릴 수 있으니까."

"낄낄. 그만해라. 그러다 애 바지에 똥 싼다."

가게를 나선 놈들이 낄낄거리며 멀어지자 맞은편 대각선 골목에 숨어 있던 오택수가 퉤 침을 뱉으며 빠져나왔다.

"너휜 덩치가 너무 눈에 띄니까 멀리서 따라와."

"괘, 괜찮겠습니까?"

"조심하세요."

걱정 어린 표정을 짓는 최재수와 달리 믿음을 보내오는 종혁의 눈빛에 씩 웃은 오택수는 점퍼 후드를 쓰며 발을 뗐다.

그렇게 멀어지던 오택수를 보던 최재수는 종혁을 봤다.
"저, 정말 괜찮겠죠?"
"걱정 마. 최 경장이 생각하는 것보다 더 베테랑인 양반이니까."
수틀리면 상관도 받아 버리는 지랄 맞은 성격 때문에 승진을 못했을 뿐, 성격만 좀 죽였다면 지금쯤 총경을 노려봤을 사람이다.
"우리도 가자."
"예."
종혁은 담배를 물며 느릿하게 뒤따랐다.

한편 오랜만에 혼자가 된 오택수는 후드 속을 파고드는 매서운 칼바람에 옅은 미소를 지었다.
'미행은 오랜만이네.'
자칫 실수라도 하면 몸에 날붙이가 들어올 수 있는 위험한 미행. 종혁과 함께하게 된 이후 잘 하지 않게 된 스타일의 미행이다.
긴장이 곤두서자 시야에 들어오는 모든 사람이 의심이 되고, 부르릉 옆을 스쳐 지나가는 탑차도 예민하게 반응한다.
'40대 중반, 왼쪽 턱에 점. 인천 나 4886.'
눈에 밟히는 모든 정보가 오택수의 머릿속에 저장된다.
하지만 급하지 않게. 어디까지나 느긋하게.
오택수는 너무 오랜만의 미행이라 몸을 경직시키는 힘

을 애써 흐트러트리며 한 발, 한 발 평범한 사람처럼 내디뎠다.

'좌측으로 꺾는군.'

속도를 조금 더 늦춘 오택수는 잠시 주위를 둘러보는 척하다가 왼쪽으로 몸을 꺾었다.

"아으, 추워!"

"킬킬. 한국 사람 다 됐구나, 야."

"뭐이라니! 니 지금 욕하니?"

차들이 주차된 2차선 도로에서 다시 오른쪽으로 꺾는 이들.

그렇게 그들을 쫓아 몇 번이나 꺾었을까.

'흠?'

오택수의 표정이 살짝 흔들린다.

분명 도로가 넓고 길가에 슈퍼나 식당, 주택 따위가 있는 평범한 길이다.

하지만 공기와 하늘색이 변했다. 거리를 서성이는 사람들의 시선도 변했다. 대충 쳐다보다 마는 몇 미터 전과 달리 집요하게 따라붙는다.

공허함 속에 경계를 담아 이쪽을 살피고 있다.

눈에 보이지 않는 경계선.

콧속을 파고드는 위험한 냄새.

몇 미터 전과 지금 서 있는 이곳은 완전히 다른 공간이었다.

그에 몸도 더 나아가길 거부하며 기시감이 든다.

'그래, 용주골.'

80년대 여자들을 납치해 팔아넘기던 조직을 쫓아 용주골에 도착했을 때의 그 느낌이다.

번쩍이는 네온사인으로 만든 수족관의 뒷골목에 들어설 때 느낌. 언제 어둠 속에서 칼이 튀어나올지 모르던 그 섬뜩한 느낌.

"좋네."

입가가 사납게 찢어진 오택수는 후드를 살짝 내리며 서슴없이 보이지 않는 경계선을 넘었다.

그러며 평범한 모습을 보이려 담배를 물었다.

"밥은 다 먹었니?"

"이렇게 늦게 온 거 보면 모르니?"

오택수는 눈을 빛냈다.

사거리 골목 안, 창고 따위로 보이는 건물 안으로 놈들이 들어간다.

'몇 번지지?'

여기까지 쫓아왔으면 몇 번지인지, 안에 몇 놈이나 있는지 정도는 알아야 하지 않겠나.

오택수는 슬그머니 평범한 사람인 척 그들이 들어간 골목으로 접어들었다.

그 순간…….

"넌 뭐이니?"

골목 전봇대 뒤에서 작은 키의 사내가 오택수를 막아서며 번들거리는 눈으로 위아래를 훑는다.

"첨 보는 놈인데?"
"아, 전 저쪽으로……."
"하긴 제정신이 박힌 놈이면 이 동네에 올 리가 없지. 이렇게 돈을 뺏길 건데."
스윽!
허리춤에서 칼을 꺼낸 놈이 오택수의 배에 칼을 가져다 댄다.
"지갑 꺼내라."
'미친?'
그때였다.
"거기 뭐하니!"
놈들이 들어간 창고 같은 건물에서 담배를 문 머리가 파르스름한 빡빡이 삼십대 중년인이 나와 외치자, 오택수 배에 칼을 들이댄 놈이 화들짝 놀란다.
"첨 보는 놈이 들어오기에 막았습다!"
"첨 보는 놈?"
오택수를 위아래를 훑어본 중년인은 코웃음을 쳤다.
두툼한 점퍼에 골덴바지. 피부가 좋은 게 딱 봐도 한국인 뜨내기다.
"길 잘못 든 것 같은데 대충하고 돌려보내라. 지금 사고 치면 안 된다는 거 모르니?"
"아, 알았습다! 니 운 좋다. 복권 사라."
툭 밀린 오택수는 여기까지인가 하며 돌아섰다.
"……후아!"

막혔던 숨통이 터진 오택수는 실실 웃었다.

'나도 미친놈이지.'

그 위험한 순간에 살아 있음을 느꼈다. 정말 미친 게 틀림없었다.

그는 담배를 물었고, 그 순간 갑자기 쑥 들어온 손이 라이터 불을 켰다.

"수고했어요."

"……그래."

"뭐 알아낸 건 있어요?"

"어. 대충."

그들은 다시 숙소로 복귀했다.

* * *

창고로 보이는 건물 안.

2층 가장 안쪽 사무실에 앉아 술을 마시던 머리가 긴 삼십대 중반의 중년인이 공허한 눈으로 입을 연다.

"무슨 일이니?"

"별거 아임다. 누가 길을 잘못 들었나 봄다. 공안처럼 보이진 않았슴다."

"그래? 알았다. 그림쟁이 양반들은?"

"조선 그림쟁이가 말하길 이제 거의 전수가 끝났담다."

그들이 있던 흑룡강성에서 잡은 탈북자 놈.

비쩍 마른 데다가 어디 쓸 곳도 없을 것 같아 배를 가르려고 했는데, 자신에겐 특별한 재주가 있다고 바짓가랑이를 잡고 매달렸다.

그래서 한번 해 보라고 시켰더니, 그림을 베껴 내는 솜씨가 예술이었다.

덕분에 공안에게 철퇴를 맞아 조직이 해산되고 결국 이렇게 한국까지 기어 들어오게 됐지만 말이다.

물론 조직이 해산된 건 위작 판매 때문만은 아니었다.

"아마 조선 그림쟁이가 컴퓨터만 잘 다룰 줄 알았어도 시간이 단축됐을 검다. 이제 그 얼빵한 한국 놈은 어찌하실 생각임까?"

한 달 전, 근처 슈퍼에서 껌 한 통을 사고 나오던 놈.

처음 보는 놈인 데다가 지갑이 두툼하기에 돈을 뺏으려 했더니 이게 대박이었다.

5천 원권 위조지폐가 지갑에 한가득이었다.

그래서 감금시키고 그 기술을 빼내던 참이었다.

"대충 토막 내서 개밥으로 줘 버려라."

"알겠슴다."

분명 기술만 온전히 전수하면 무사히 풀어 주겠다는 약속을 어기다 못해 잔인한 말을 서슴없이 하고 있지만, 그들의 눈은 덤덤하기만 했다.

"인천 쪽 일은 어떠니?"

"무리 없슴다."

"소문을 내는 건?"

"그것도 잘되고 있슴다."

"명심해라. 절대 한국 공안이 여길 알게 하면 아니 된다."

"알겠습다. 그럼 나가 보겠습다."

"어. 가라."

손을 저은 그는 문이 닫히자 핸드폰을 들었다.

"나요, 박 사장. 여긴 준비 끝났소. 돈 준비하시오."

전화를 끊은 그는 대마를 잘라 넣은 잎담배를 물며 흐릿하게 웃었다.

"한국. 참 샌님 같은 나라야."

여차하면 귀를 잘라 내야 하는 흑룡강성의 추위와 비교하면 참 천국 같은 나라였다.

* * *

-거긴 우범 지역이라 경찰들도 잘 안 가요. 경찰이 뭐예요. 같은 조선족들도 거긴 웬만해선 잘 안 가요.

조주환 형사의 말에 종혁은 미간을 좁혔다.

"왜요?"

-조선족 노동자들이 초기에 정착한 곳이 거긴데…….

"아, 무슨 말인지 알겠습니다. 바깥으로 빠져나오지 못한 인생 막장들이 몰려 있는 곳이라는 소리군요?"

-그렇죠. 돈 벌러 왔으면서도 일하기 싫어 빈둥거리는 한량들, 불법 체류자들 뭐 그런 인생 막장들만 있는 곳이죠. 원랜 그 정도까지는 아니었는데…….

종혁은 눈을 빛냈다.

"아니었다고요?"

―예. 한 8개월쯤 됐나? 그때부터 점점 그렇게 변했을걸요? 한 5개월 전부턴 강력 사건도 많이 일어났고, 소문도 흉흉해졌고.

누가 팔이 잘렸네, 누가 갑자기 사라졌네, 누가 장기가 털렸네 등 온갖 흉흉한 소문이 돌아 조사를 해 봤지만 나오는 건 없었다.

―심지어 우리 한국인이 거기다 통나무 공장을 차렸다는 소문도 돌았다니까요. 물론 아니라고 판명이 났지만요.

여기서 말하는 통나무 공장은 나무 가공공장이 아니다.

장기매매. 그걸 말하는 것이다.

다른 말로는 병원이라고도 한다.

"재밌네요. 검찰과의 단속에서도 나온 건 없던가요?"

―없었죠. 있었으면 거길 가만뒀을 리가 없죠.

뭐라도 나왔다면 아마 검경 전체가 달려들었을 것이다.

―그래서 청사파 애들도 그쪽은 기웃거리지 않아요. 소문은 흉흉한데 먹을 게 없어서…….

"아아, 알겠습니다. 감사합니다."

―네. 더 물을 거 있으면 언제든 연락 주세요.

전화를 끊은 종혁은 코를 긁적였다.

'그런 우범 지역에서 뭔가를 꾸미는 놈들이 있다라…….'

왜 신경이 그 8개월과 5개월이란 단어에 쏠리는 걸까.

고약한 냄새가 더욱 심해지고 있었다.

"아, 미치겠네. 이러면 잠복을 하는 것도 어려운데……."

종혁은 동감이라며 고개를 끄덕였다.

잠복 중 가장 골치 아픈 상황이 바로 이거다.

동네 사람 전체가 이방인을 경계하는 상황. 거기다 우범 지역이라니 여차하면 시비가 걸릴 수도 있다.

'역시 한상원 때처럼 그냥 그 근처에 집을 사서…….'

"흠. 팀장님."

"왜?"

"그런 우범 지역인데 있을 건 다 있는 게 이상하지 않아요?"

슈퍼, 술집, 노래방, 오락실 있을 건 다 있었다. 그 작은 골목에 말이다.

"보통 그런 지역에선 장사를 접는 게 맞지 않아요?"

심각한 말투로 부르기에 집중했던 종혁과 오택수의 눈이 멍해졌다. 그러다 오택수가 탄식을 터트린다.

"와, 이 새끼는 파출소에서 대체 뭘 배운 거지?"

"오 경감님이 가르쳤어요."

"……씨발, 난 뭘 가르친 거지?"

종혁은 머리를 쥐어뜯는 오택수를 일견하며 얼굴이 일그러지는 최재수를 봤다.

"돈이 없어서 그래."

"예?"

"좋은 곳에 가게를 오픈할 돈이 없어서. 오픈을 해도 단골들이 따라올지 의문이어서. 뭐 이런저런 이유…… 아."

뭔가를 깨달은 종혁은 몸을 일으켰다.

"야, 어디 가게?"

"잠복을 하기 어려운 상황이라면 쉽게 하면 되는 거죠. 제 스타일대로요."

"엥? 월세 얻게?"

"그 비슷한 거예요."

종혁은 옷을 챙겨 들었고, 궁금해진 오택수와 최재수도 냉큼 뒤를 따라나섰다.

그리고 잠시 후.

딸랑!

복덕방의 문을 열고 들어간 종혁은 입을 열었다.

"상가 건물들 좀 매입하고 싶은데요."

"상가 건물? 상가 건물…… 들?"

오택수와 최재수는 이어지는 종혁의 말에 입을 떡 벌렸다.

'이런 미친?'

이 미친놈이 또 미친 짓을 하고 있었다.

* * *

가리봉동 조선족 밀집 지역의 한 2층 호프집.

난데없이 건물주가 바뀐 이십여 명의 상인들은 어두운 낯빛으로 한자리에 모였다.

"대체 왜 우릴 모았겠슴까?"

"뭐 월세를 올리겠다는 것이겠지. 아니면……."

"서, 설마 우릴 내쫓겠다는 검까?"

그들의 낯빛이 거무죽죽해졌다.

성공을 위해 고향을 등지고 찾은 한국.

고향에선 혹여 돈을 모아 가게를 차린다고 해도 비리 공안에게 언제 가게를 뺏길지 모르고, 깡패들에게 보호비도 뜯겨야 한다.

어쩌면 사람답게 살기 위해 한국을 찾은 것일지도 몰랐다.

그래서 일용직 막노동부터 시작해 한 푼, 두 푼 모아 겨우 꿈에서나 겨우 그리던 가게를 차렸다.

깡패들에게 보호비를 뜯기는 거야 이곳 한국도 마찬가지지만, 그래도 최소한 공안에게 언제 가게를 뺏길까 걱정을 하지 않아도 되는 게 어디였던가.

그렇게 겨우 번화가인 이곳까지 나왔는데…….

'쫓아낸다고? 이렇게 허망하게 쫓겨나야 한다고?'

텅!

누군가 탁자를 때리며 일어났다.

"하, 역시 이래서 사람들 말처럼 한국인은 믿을 수가 없어! 아무것도 없는 곳에 겨우 상권을 만들어 놨는데, 이제 와서 우릴 내쫓는다고?!"

"맞아! 우리가 이 상권을 어떻게 만들었는데!"

식당 몇 개, 노래방 몇 개 있던 작은 상권을 여기까지 키운 게 자신들이었다. 억울했다.

"하지만 그 건물주가 한국 공안을 동원하면 어쩔 수 없이 나가야 하잖습까."

"그건…… 그렇지."

웅성웅성.

정말 있는 돈 없는 돈 끌어모아 차린 가게다.

이대로 쫓겨나면 갈 곳이 없다.

이곳 조선족 밀집 지역이야 원체 월세가 싸다지만, 큰 도로 하나만 넘어가도 지하방 하나 얻기조차 힘든 실정이다.

"여, 여기서 쫓겨나면 어디로 가야 함까. 설마 거기로 가야 함까?"

그들 조선족조차 쉬이 가지 못하는 우범 지역.

한국을 찾은 그들이 처음 터를 잡았던 곳.

'거길 다시 가야 한다고?'

이제 거기에 남은 사람들은 다 비슷한 놈들뿐이다. 상인도, 거주민도.

정말 돈이 없어서 어쩔 수 없이 그곳에 사는 사람도 있겠지만 대부분 그렇다.

동포들이 모여 있는 다른 지역, 대림이나 안산 등으로 가는 방법도 있지만…… 과연 텃세를 버티고 다시 시작할 수 있을까?

"……그냥 고향에 돌아가야 하나?"

감당할 자신이 없었다.

처음부터 다시 시작할 생각을 하니 벌써부터 눈앞이 캄캄했다.

그렇다면 이곳이나 고향이나 마찬가지인데, 구태여 이곳에 남을 이유도 없었다. 차라리 친구와 가족이 있는 고향으로 돌아가는 편이 나을 터였다.

그들의 가슴에 우울한 비가 내렸다.

그때였다.

딸랑!

문이 열고 뚜벅뚜벅 들어오는 종혁을 향해 간절한 눈빛들이 쏟아진다.

그중 한 소년과 노인은 종혁을 보며 눈을 크게 떴다.

그들에게 윙크를 한 종혁은 금방이라도 울 듯한 사람들의 모습에 씁쓸해진 입맛을 다시며 빈자리에 앉았다.

그 뒤에 오택수와 최재수가 섰다.

"반갑습니다, 세입자 여러분들. 어제부로 당신들이 세 들어 사는 그 건물들은 제 소유가 됐습니다."

쿠웅!

알고 나온 길이지만 다시 들으니 심장이 내려앉는다.

숨 막히는 중압감이 그들의 전신을 짓누른다.

"부, 부탁드리겠슴다. 월세를 올려 받고 싶다면 올려 드리겠슴다. 하지만 제발…… 부디…… 나가라는 말만은……."

"마, 맞습니다. 정말 힘들게 온 한국임다! 같은 동포 아임니까?!"

같은 동포.

종혁은 피식 웃음을 터트렸다.

"재밌네요. 한국인이 싫어 그렇게 배척을 하고 위협을 하면서 이렇게 필요할 때가 되니 동포라고 하는 겁니까?"

"그, 그건……!"

얼굴이 빨개진 상인들은 입을 다물었다.

종혁은 어쩔 줄 몰라 하는 그들의 모습에 담배를 물었다.

"그 부분은 저희가 잘못했습다. 반성하겠습다. 그러니 필요한 게 있으면 말해 주십시오."

참다못한 소년, 이연복이 나서자 상인들은 기겁하고 종혁은 눈을 빛냈다.

"필요한 거라……. 여기 있는 사람들이 날 도울 일이 있을까?"

"그러니 저희를 이렇게 불러 모으셨을 거라 생각함다."

월세를 올리는 것이든, 가게를 빼는 것이든 단순히 계약과 관련한 일이라면 이렇게 모두를 불러 모을 필요는 없었다.

'거기다 아저씨가 형사님이니까.'

그리고 잘 보면 여기에 모인 상인들 모두 진상들에게 꽤 피해를 입은 상인들이다. 물론 종혁이 부른 이유와 연관이 있을지는 모르지만 말이다.

"재밌네."

종혁의 입가에 미소가 번지자 상인들은 하얗게 질렸다.

"야, 야! 누가 쟤 입 좀 막아라!"

"와 이러네! 다 죽일 참이네?!"

상인들이 호들갑을 떨었고, 이연복을 빤히 보던 종혁은 손을 들었다.

"아, 연복이의 말이 맞습니다. 전 여러분께 원하는 게 있어서 이렇게 소집한 겁니다."
'맞, 맞다고?'
"그, 그게 뭔까?"
종혁은 담배 연기를 길게 뿜었다.
"일단 제 소개부터 하죠. 전 형사입니다. 여러분들이 말하는 공안. 그것도 본청 공안입니다."
"예?"
잠시 이해를 못했던 그들은 눈을 부릅떴다.
"설마 당신이?"
며칠 전 처음 보는 형사가 동네에 나타나 동네 주민을 괴롭혔다는 이야기를 들어 본 적 있는 그들이다.
종혁은 등을 뒤로 젖혔다.
"내가 원래 이곳에 온 이유는 가리봉동 조선족 실태 조사를 위해서였습니다."
최재수가 급히 종혁을 봤다.
'그, 그걸 왜 말하는?'
"주취 흉기 난동, 절도, 강도, 성추행, 협박, 폭행, 경관 폭행, 바가지 등등 아주 가관이더군요. 범죄의 온상이 따로 없어요."
상인들의 얼굴이 다시 붉어진다.
다른 지역과 달리 조선족 밀집 지역을 바라보는 시선이 좋지 못하고, 실제로 치안도 좋지 못하다는 건 그들도 인지하고 있던 부분이다.

하지만 억울했다. 그런 시선과 상황을 만든 건 자신들이 아니고, 오히려 그들 또한 당하는 처지에 있었으니까.

바가지도 마찬가지다. 자신들은 결단코 한국인에게 바가지를 씌운 적이 없었다. 그런 식으로 장사를 하면 손님만 떨어지는데 누가 그런 짓을 한단 말인가.

"하지만 뭐 당신들과 이런 이야기를 나눈다고 해결될 문제도 아니니 다 집어치우고 비즈니스적인 이야기를 하죠."

이건 자신들을 압박하는 걸까, 아니면 도와준다는 손을 내미는 걸까.

그리고 비즈니스는 또 뭘까.

그들은 정신이 없었다.

"……뭘까?"

이연복이 힘겹게 말하자 종혁은 눈빛을 가라앉혔다.

"우선 제안을 하기 전에 선택권을 줄 겁니다. 이 이야기를 계속 들을지, 아니면 이대로 돌아 나갈지. 그냥 나가신다고 해도 아무런 불이익은 없을 거고, 남아 계신 분들에게는 좋은 제안을 드리겠습니다."

종혁은 이제 선택은 당신들 몫이라며 눈을 감았고, 상인들은 서로 눈치를 봤다.

종혁이 언급한 좋은 제안이란 게 과연 뭘까.

'월세? 관리비?'

상인인 그들로서는 생각할 수 있는 게 그것밖에 없었다.

그런데 소년, 연복은 생각이 좀 달랐다.

'뭔지 몰라도 우리 조선족에게 좋은 일이다.'

일개 식당 종업원, 그것도 미성년자인 자신에게 존댓말을 써 주고 조선족의 미래에 대해 말했던 종혁이다.

연복은 사장 할아버지를 툭 건드리곤 고개를 끄덕였고, 사장은 푸근히 웃으며 고개를 끄덕였다.

사장도 종혁이 말이나 행동이 무서울 뿐, 선한 사람이라는 걸 알고 있었기 때문이다.

그걸 본 상인들은 눈을 빛냈다. 종혁이 난동을 부렸다는 식당의 구성원 둘이 자리를 지키려 하고 있었다.

'이건 뭔가 있다.'

그렇게 시간이 얼마나 흘렀을까.

종혁은 단 한 명도 떠나지 않은 그들을 보며 고개를 끄덕였다.

"그럼 계속 이야기를 들으실 각오가 됐다고 생각하겠습니다. 일단 오늘 제 억지에 가까운 소집과 제안에 응해 주신 대가로 여러분 전원에게 반년간 월세와 관리비를 받지 않겠습니다."

'월세! 관리비!'

그것도 무려 반년이다.

종혁은 자신들의 선택이 틀리지 않았다며 엉덩이를 들썩이는 그들 가운데로 사진 몇 장을 던졌다. 정문철과 함께 이연복의 식당에 들렀던 놈들의 사진이었다.

"당신들 동네에 큰 벌레들이 기어 들어왔습니다. 들통이 나면 당신들 동네가 싹 다 쓸려도 이상하지 않을 벌레들이죠."

정문철과 함께 있는 것만으로도 놈들은 악이다.

움찔! 흠칫!

사진을 보며 의아해하던 상인들의 몸이 굳었다.

"언제 들어왔는지는 모릅니다. 하지만 모르는 얼굴이라고 하진 않겠죠?"

몇몇 상인들이 눈을 데구루루 굴렸다.

아는 얼굴들이다. 칼이나 도끼 따위를 차고 동네를 돌아다니는 놈들인데 모를 리가 없다.

종혁은 최재수에게 손가락을 까딱였고, 최재수는 탁자 중앙에 CCTV가 든 커다란 가방 두 개를 내려놨다.

"당신들은 그저 이걸 가게에 설치해 놓고, 놈들이 왔을 때 귀를 기울이기만 하면 됩니다. 놈들이 뭔 짓을 하는지, 누굴 만나는지, 누굴 만나 뭔 말을 하는지 어떤 것이든 좋습니다."

어느새 집중한 그들의 모습에 종혁은 몸을 일으켰다.

"가장 양질의 정보를 가져오는 사람 3명에겐 건물주의 권한으로 앞으로 3년간 월세와 관리비를 받지 않겠습니다."

"사, 삼 년?!"

"어쩌면 영원히 안 받을 수도 있겠죠."

상인들의 눈이 부릅떠진다.

그들의 눈에 간절한 욕심이 들어차기 시작했다.

"시간이 빠를수록 내가 지불할 대가는 더 세질 겁니다. 아, 다른 사람이 모르는 정보를 가져와도 충분한 대가를 치러 주죠."

종혁은 재떨이에 담배를 비벼 끄며 몸을 돌렸다.

"어떤 게 당신들에게 도움이 될지 그것부터 생각하십시오. 저딴 범죄자들도 같은 조선족이라고 감싸서 거리에 나앉을지, 아니면 범죄자를 자신들의 손으로 처단해 보다 좋은 동네를 만들지……. 참고로 한국 정부가, 한국인이 호구라서 저놈들의 작태를 가만두고 보는 게 아닙니다. 소수의 만행이라도 그게 거듭되면 결국 전체의 만행이 되는 거니까. 잘 생각하시길 바랍니다."

그 말을 한 종혁은 호프집을 빠져나갔고, 그런 종혁을 멍하니 바라보던 상인들은 사진을 가만히 응시하기 시작했다.

뚜벅뚜벅!

"와, 진짜……!"

건물을 나서자 최재수는 종혁을 보며 온몸을 부들부들 떨었다. 방금 전 종혁의 모습이 너무 멋져서 흥분을 주체할 수가 없었다.

오택수도 어이없다는 듯 웃었다.

"그래, 월세는 월세네."

무기로 사용한 월세.

대체 어떻게 이런 걸 떠올리는 걸까.

오택수는 혀를 내둘렀고, 종혁은 피식 웃었다.

"그런데 저 사람들이 따라 줄까요?"

최재수의 말에 최종혁과 오택수는 피식 웃었다.

'그렇게 어르고 달랬는데 안 듣는다고?'

그들이 같은 조선족에게 피해를 당하지 않았다면 또 모른다.

하지만 신고가 자주 접수된 가게의 사장들만 골랐다.

이미 같은 조선족에게 학을 뗀 불쌍한 사람들이란 소리였다.

'그러니 보자마자 살려 달라고 빈 거겠지.'

"혹시 모를 사태를 대비해 저도 나름 대처를 해 놓을 테니까 일단은 저분들이 정보를 가져올 때까지 잠시 해산하죠."

시간이 꽤 걸릴 테니 오랜만에 집에 가서 깨끗이 씻고 가족에게 봉사하는 거다.

"넌 뭐하게?"

"저도 집에 가 보려고요. 그럼 저들에게 연락 오면 보자고요. 예, 사장님. 납니다."

손을 흔든 종혁은 며칠 만에 집으로 향했다.

* * *

"엄마!"

"에그머니나!"

아직 점심시간이 시작되지 않은 아침. 정혁빌딩 뷔페식당을 우렁차게 울리는 외침에 카운터를 보던 아주머니가 놀라고, 주방에서 어머니 고정숙이 놀란 눈을 한 채 걸어

나온다.
이젠 편하게 살아도 될 텐데 언제나 손님들 대접하는 음식은 자기 손으로 만들어야 직성이 풀린다는 존경하는 어머니.
"뭐야? 잠복 간 거 아니었어?"
"흐흐. 엄만 모르겠지만 원래 아들처럼 유능하면 잠복을 할 때도 이렇게 쉴 수 있어."
"지랄한다. 또 뭔 사고를 친 건데?"
"흐흐흐."
"……알았어. 쉬고 있어. 저녁엔 외식하자."
"옛썰!"
어머니 고정숙을 꼭 끌어안은 종혁은 돌아섰고, 고정숙은 어느새 걱정이 들어찬 눈으로 식당을 빠져나가는 종혁을 봤다.
'뭔 일이 있는 건 아니겠지?'
알아서 잘하는 아들이라도 부모로서 걱정이 될 수밖에 없었다.
그런 어머니의 마음을 아는지 모르는지 집으로 올라온 종혁은 순철부터 찾았다.
"잠복한다고 하지 않으셨습네까?"
"어. 잠깐 시간이 생겨서. 그보다 철아."
"예?"
"지금도 순영 씨와 연락되지?"
"예. 자주는 힘들지만 가끔 연락을 합네다."

"그으래?"
종혁의 눈이 번뜩였다.
"그럼 이놈이 누군지 좀 알아봐 달라고 할 수 있을까?"
식당에서 북한말을 쓰던 놈.
북한 사람은 북한 공무원이 잘 알 수밖에 없었다. 탈북자라도, 탈북자가 아니라도.
"……알갔습네다. 맡겨만 주시라요. 더 필요한 건 없습네까?"
종혁의 부탁이다. 순철의 표정이 진지하게 물들었다.
"응. 그거 말고는 없어. 그럼 난 쉴 테니까 저녁에 보자."
"알갔습니다. 푹 쉬시라요."
"오냐. 너도 대충하고 쉬어. 대학 1년 늦게 간다고, 1년 늦게 사회에 뛰어든다고 인생이 어떻게 되는 거 아니다. 오히려 빨리 가려다 망하는 거지."
수능 성적을 좋게 받았지만, 쉽게 대학과 진로 사이에서 쉽게 결정을 내리지 못하는 순철.
"아, 아니……."
종혁은 항변을 하려는 순철을 향해 손을 흔들어 주며 방으로 향했고, 그런 종혁을 보며 발을 구르던 순철은 이내 한숨을 내쉬며 돌아섰다.

* * *

쾅!

갑자기 열린 문에 얼굴을 와락 구기며 '대가리가 이렇게 혁명적으로 미친 아새끼는 누구냐'고 고개를 들었던 리순영은 의아해하며 몸을 일으켰다.

"중좌 동지를 뵙습네다."

"지금 인사가 중요한 게 아니야! 이 아새끼래 어디서 찾았네?"

텅!

사십대 군관이 내려놓는 사진을 본 순영은 미간을 좁혔다.

'이 사진이 왜 이 인간의 손에 들어가 있는 거이네?'

종혁이 부탁한 일이기에 부하들을 시켜 알아보던 놈의 사진.

그걸 위작 따위를 팔아서 나라의 살림에 한 손 보태는 부서의 사람이 들고 올 줄은 생각도 못했다.

"무슨 일 있습네까?"

"날래 대답하라!"

"……무슨 일인디 모르겠디만 여기가 어딘지 모릅네까? 목소리 낮추시라요. 다신 짖지 못하게 찢어 버리기 전에."

……꿀꺽.

"크, 크흠. 내가 급해서리 실수를 좀 했다. 미안하다."

"일단 앉으시라요."

순영은 순철이 긴밀히 보내온 남한표 믹스커피를 타 왔다.

"그쪽 부서 동무입네까? 실력이 영 아닌 건 아닌가 봅네다?"

"실력 없으면 내가 꼬리에 불붙은 망아지처럼 찾아왔갔어?"

"날래 보따리 풀어 보시라요."

"하……. 이번에 우리 부서 동무들이 죄다 선선한데 간 거 기억하네?"

교도소를 일컫는 선선한 곳.

"예, 알고 있습네다."

부서 하나가, 그것도 외화벌이를 하던 부서가 통째로 날아간 사건인데 모를 리가 없다.

"분명 팔아넘낀 위작에 큰 결함이 발견됐다고…… 맞습네까?"

"나만 겨우 이 질긴 모가지 간수할 수 있었디."

"아, 그럼?"

중좌는 이를 악물며 고개를 끄덕였고, 순영은 헛웃음을 터트렸다.

'그러니까 위대한 공화국의 외화벌이에 장난을 친 놈이 탈북을 한 것도 모자라 종혁 동무의 시야에 걸렸단 말이네?'

경찰인 종혁이 물어본 거라면 분명 범죄에 연관된 일일 터.

"제발 도와 달라. 이놈을 잡아야 내가 데리고 있던 동무들이 산다."

"그리고 중좌 동지도 살겠디요."

든든한 배경이 있어 이번에는 겨우 책임을 피했다지만, 이대로 계속 부서 업무가 멈추게 되면 탄광에서 흙냄새나 맡게 될 것이다.

"……그렇디. 내 이 은혜 꼭 갚갔어. 아파트 어떠네?"

"아파트는 나도 있습네다. 그보다 이 미친 동무는 왜 그런 짓을 했다고 합네까?"

"뭔 외래 영화를 보고 그런 걸로 추정되고 있다."

솜씨가 기가 막히지만 창의성이 부족한 어느 화가가 같은 화가나 평론가들에게 넌 평생 가도 인정을 받을 수 없을 거냐는 말을 지껄이기에, 너무 화가 나서 명작을 똑같이 모작하고 어떤 게 진짜냐 묻는 그런 내용이었던 걸로 기억한다.

순영은 입을 헤 벌렸다.

"뭔 그런 미친 동무가……."

"소좌 동지!"

"알갔습니다. 한번 아는 동무들에게 부탁해 보갔시오."

"그 혹시라도 보위부에는……."

"용무 끝났으면 가 보시라요. 업무 중입네다."

"아, 알갔어! 내 이 은혜 확실히 갚을 테니 그놈만 잡아 달라!"

거듭 부탁한다고 말한 중좌는 사무실 문을 조심스럽게 닫으며 나갔고, 순영은 잠시 생각에 잠겼다.

'정치국 후보위원 아들내미의 부탁이라…….'

피식 웃은 순영은 옆에 놓인 전화기를 들었다.

"예, 국장 동지. 리순영 소좌입네다. 뵙고 긴히 드릴 말씀이 있습네다."

한국의 범죄 사건에 북한이 끼어드는 순간이었다.

* * *

지익, 직!

허름하고 작은 사무실.

컬러 프린트가 5천 원 뒷면이 복사된 종이를 토해 낸다.

안경을 낀 삼십대의 중년인은 미리 뽑아 놓은 앞면과 복사 방지용 그림이 그려진 종이까지 세 장을 겹치고 그 사이사이에 특수한 풀을 발라 붙인다.

그리고 그 위에 책으로 탑을 쌓고는 잠시 물러나 팔짱을 낀다.

그에 사무실 안에 있던 사람들이 모두 숨을 죽인다.

그렇게 몇 시간이 흘렀을까.

쌓은 탑을 무너트리듯 치운 중년인은 붙여진 종이를 뒤집어 보고, 천장등에 비추어 보고, 마지막으로 종이를 매만지다가 미소를 지었다.

"됐습네다. 이거면 기계를 가져다 대지 않는 이상 은행원 할애비라도 모를 겁네다."

정문철에게 전수받은 노하우에 자신의 기술을 접목시켜 만든 지폐다. 그는 자신만만할 수밖에 없었다.

"가져다주시라요."

"아, 알았다."

마치 스님처럼 머리가 파르스름한 삼십대의 사내는 다

급히 2층 안쪽의 사무실로 향했다.

쿵쿵!

"혀, 형니메! 들어가겠습다."

대답도 듣지 않고 문을 연 대머리 사내는 소파에 앉아 빼끔빼끔 대마를 피우고 있는 장발의 사내에게 위조지폐를 내밀었다.

"개정판이 나왔습다!"

공허함에 젖어 있던 장발 사내의 눈이 빛을 찾는다.

방금 전 중년인처럼 만져 보고 전등에도 비추어 본 그는 몸을 부르르 떨었다.

그건 대머리 사내도 마찬가지였다.

일은 자신들이 다 하는데, 돈은 윗선에 모두 가져다 바쳐야 했던 엿 같던 흑룡강성에서의 생활. 그러다 조직이 망해 땡전 한 푼 없이 한국으로 도망쳐 와야 했다.

이후 조직을 여기까지 키우는 데 얼마나 고생을 했던가.

흑룡강성 때의 일을 반면교사 삼아 소문을 퍼트려 아무도 접근을 하지 못하게 해 조직의 위치를 숨기고, 여러 사업을 벌였다.

그렇게 고생한 자신들에게 드디어 황금이 무한대로 쏟아져 나오는 황금샘이 쥐어진 것이다.

이제 고생 끝, 행복 시작이었다.

"나흘 후까지 백만 장이다. 서둘러라."

"예!"

"그리고 빼꾸기들 만나서 다시 분위기 잡으라고 해라.

절대 누구도 이곳에 접근하면 아니 된다. 우리가 아지트를 옮길 때까지."

이제 황금샘이 쥐어졌으니 그 황금샘을 키우며 사업을 확장하기 위해선 조직을 더 은밀하게 숨길 필요가 있었다.

정확히는 이 공장을 유지하되, 황금샘처럼 중요한 것들은 다른 곳으로 옮기려는 것이다.

흑룡강성의 조직이 왜 쓸렸던가.

사업장의 위치나 본부의 위치가 공안의 손바닥에 있는데, 뇌물 좀 줬다는 것만 믿고 뻗대다가 그런 것이다.

장발 사내는 다신 그 꼴을 당하기 싫었다.

그래서 조직을 점조직 형태로 운영할 생각이었다.

"예. 알겠습다!"

대머리 사내는 희희낙락하며 사무실을 나섰고, 장발 사내는 다시 대마를 입에 물며 천장을 응시했다.

'새로운 둥지로는 어디가 좋을까. 일단 번듯한 사업가로 위장부터 해야겠지.'

그의 입가에 나른한 미소가 맺혔다.

한편 본격적으로 위조지폐를 뽑아내라는 지시를 내리고 느긋이 공장을 빠져나온 대머리 사내, 양탁락은 담배를 물며 번화가의 노래방으로 향했다.

아지트 근처에서 노래방들이 있지만, 죄다 맥주 맛이 영 밍밍하고 아가씨들 상태도 나빠서 한번 엎어 버린 후 찾지 않았다.

당연히 걸음이 번화가로 향할 수밖에 없었다.

하지만 뒤늦게 기승을 부리는 추위에 양탁락은 괜히 멀리 나왔나 혀를 찼다.

“아, 안녕하심까!”

양탁락은 갑자기 허리를 굽히는 소년, 이연복을 보며 미간을 좁혔다.

“넌 누구니? 내가 누군지 아니?”

“전에 오시지 않았슴까. 저 여기서 일함다.”

“아.”

소탕과 꼬치를 기가 막히게 하는 식당. 여기라면 양탁락도 부하들과 두어 번 온 적이 있다.

‘몇 달 전 일을 기억한다라…….’

현재 조직의 사정상 노출을 삼가야 하는데 자신을 알아보자 순간 양탁락의 눈에 붉은빛이 맴돈다.

하지만 그것도 잠시다.

연복을 어떻게 했다가 경찰이라도 출동하면 더 큰일 난다고 생각한 양탁락은 고개를 끄덕였다.

“그러니?”

순간 섬뜩해졌던 연복은 마른침을 삼키며 입을 열었다.

“그런데 어디 가심까? 아직 저녁때는 아이지만, 배고프시면 저희 집은 어떻슴까?”

“됐다. 술 마시러 간다.”

“아, 그렇슴까? 그럼 저기 노래방 가 보심이 어떻슴까?

맥주 10병 시키면 5병과 2시간이 공짜입다."
"그런 곳이 있다고?"
"얼마 전에 이벤트를 열었습다. 저깁다."
"알았다. 수고해라."
"……수고하십쇼!"
연복은 뭔가 아쉬워하는 표정으로 물러섰고, 양탁락은 어린 것이 돈이나 밝힌다고 혀를 차며 노래방으로 향했다.
그렇게 양탁락이 노래방 안으로 들어가자 연복은 그대로 주저앉았다.
"후우. 후."
정말 무서웠다.
하지만 정보만 가져오면 무려 3년간 월세와 관리비가 공짜라고 했다.
14살 아무것도 모르고 기술도 없는 자신을 거둬 준 이곳 식당의 사장 할아버지. 그 은혜를 갚고 싶었다.
하지만 그러기 위해선 이걸론 부족하다.
그리고…….
"비즈니스…… 사례……."
종혁은 분명 자신들에게 비즈니스라고 했고, 새로운 정보를 가져오면 합당한 사례를 한다고 했다.
어린 연복도 아는 단어인 비즈니스.
"아버지……."
골방에 누워 있는 아버지를 떠올린 연복은 입술을 깨물었다.

돈이 없어 치료를 받지 못하는 아버지와 연복이 가져오는 돈과 팔고 남은 음식이 아니라면 굶어 죽어야 하는 동생들.

가족과 사장 할아버지에게 은혜를 갚기 위해선 자신이 위험을 무릅써야 했다.

결심을 한 연복은 후들거리는 다리는 누르며 일어서 노래방을 향해 걸었다.

딸랑!

“여, 연복아!”

종혁이 제안을 건네던 자리에 있었던 노래방 사장이 하얗게 질린 얼굴로 연복을 부른다.

‘이럴 줄 알았다.’

평소 소심하기로 유명한 노래방 사장.

그래서 그때 우왕좌왕하다 때를 놓쳐 그 자리에 끝까지 남아 있었지만, 협조를 하지 않을 거란 건 연복도 잘 알고 있었다.

‘그러면서도 그 형사님이 준 CCTV는 설치했지.’

그뿐인가. 반년 간 월세가 공짜니 이 기회에 손님을 끌어모으자고 이벤트를 벌였다. 참 이기적인 양반이었다. 종혁이 괜히 조선족을 욕한 게 아니다.

연복이 노래방 사장의 한심함에 한숨을 내쉬던 그때였다.

딸랑!

문을 열고 3명의 젊은 청년들이 들어오자 연복과 사장

은 고개를 모로 기울였다.

'이놈들은?'

번화가 쪽에서 술 먹고 꼬장을 부리기로 유명한 놈들이다.

언제나 칼이나 도끼를 지니고 다녀서 함부로 쫓아낼 수도 없는 골칫거리들. 그것도 모자라 출동한 한국 경찰에게 반항을 하며 살벌한 분위기를 만드는 놈들.

사장은 몰랐지만, 이들은 종혁이 처음 가리봉동에 온 날 종혁에게 중국어로 비아냥거리다 된통 당한 놈들이었다.

"셋이오?"

"먼저 온 일행 있소."

움찔!

사장과 연복의 눈이 흔들리다.

지금 그들을 제외하고 이 노래방에 있는 사람은 양탁락뿐이었다.

"크흠. 알았소. 8번방이오."

"술부터 얼른 넣어 주오."

셋은 안쪽으로 향했고, 사장은 연복을 봤다.

"이, 이게 어찌 된 일이니. 저치들이 왜 그 사람과 어울리는 거이니?"

"그, 그러게 말입다."

골칫덩이와 큰 벌레의 만남이다.

뭔가 이상해도 대단히 이상했다. 아니, 위험했다.

"나, 난 여기까지다."

뭔지는 모르지만, 귀중한 정보를 얻었으니 더 이상 위험한 일에 얽히는 건 사양이었다.

하지만 연복은 아니었다.

'위험을 감수해야 큰 걸 얻는다.'

어차피 감수하기로 한 위험이 아니었던가.

"사장님, 쟁반 어딨슴까."

연복은 이를 악물었다.

* * *

"저희 왔습니다, 형님."

"왔니? 왔으면 술부터 받으라."

종혁이 경찰임을 알면서도 이죽거렸던 것과 달리 양손을 모으며 들어온 그들은 공손히 글라스를 들어 술을 받았고, 양탁락은 거만하게 술병을 들었다.

꼴꼴꼴꼴!

"곧 우리 사업이 본격적으로 시작할 거다."

셋의 눈이 번뜩인다.

"드, 드디어 시작을 하는 겁니까?"

"그래. 그러니 지금부터는 너희들이 하는 일이 더욱 중요하게 됐다."

꿀꺽!

"어, 어떻게 하면 되겠슴까."

"이번엔 납치 사건이 일어났다고 말을 옮기면 되겠습까?"

순간 얼굴을 구긴 양탁락은 그 말을 꺼낸 놈의 뺨을 후려쳤다.

"이 얼빵한 새끼! 그럼 한국 공안이 찾아올 거라 생각은 아니하니?!"

"죄, 죄송함다!"

대번에 쪼그라드는 그들의 모습에 양탁락은 한숨을 내뱉었다.

흑룡강성이었으면 벌써 개밥으로 만들어 버렸을 어수룩한 놈들.

하지만 그들이 원하는 점조직 형태의 조직을 만들기 전까지는 이런 놈들이 꼭 필요했다.

조직의 형태가 완성되어도 최소 한 개의 사업 아이템은 놔둘 공장을 지키기 위해선 필요한 놈들.

"됐다. 그냥 지금보다 더 한국 놈들에 대한 적개심만 더 강하게 조성하라. 사고 쳐서 한국 공안들도 정신없게 하고."

그렇게 말하는 양탁락의 입가엔 비릿한 미소가 걸렸다.

그때였다.

쿵쿵쿵!

-드, 들어가겠습다!

"……너 뭐이니?"

연복을 본 양탁락의 눈에 의문이 들어찬다.

연복은 하얗게 질렸다.

“괘, 괜찮겠니?”
“뭐 나오면 저한테도 공이 있는 검다.”
“아, 알았다. 조심하라.”
쟁반에 맥주를 올린 연복은 벌렁거리는 심장을 다독이려 애쓰며 8번 방으로 향했다.
손님이 하나도 없어서 조용하기만 노래방.
그것은 안에 사람이 들어가 있는 8번 방도 마찬가지였고, 문 앞에서 귀를 기울이자 반주 대신 대화 소리만이 들려왔다.
–곧 우리 사업이 본격적으로 시작할 거다.
–드, 드디어 시작을 하는 겁니까?
–그래. 그러니 지금부터는 너희들이 하는 일이 더욱 중요하게 됐다.
‘사업? 시작? 도대체 어떤 사업을 시작한다 거이니?’
무슨 대화인지 전혀 이해가 가지 않았다.
하지만 그것은 중요하지 않았다. 설령 자신에겐 이해할 수 없는 이야기일지라도, 다른 사람에겐 가치가 있을지도 모르는 일이었으니까.
가족과 사장 할아버지를 떠올린 연복은 입가에 미소를 머금으며 귀를 기울였다.
하지만 이후 흘러나온 말이 연복의 머리를 강타했다.
달그락!

“흡?!”

쟁반 위에서 쓰러질 뻔한 맥주를 겨우 잡은 연복은 안쪽을 향해 모든 신경을 기울였다.

‘들렸을까? 들켰을까?’

연복은 입술을 깨문 연복은 정면 돌파를 하기로 했다.

쿵쿵쿵!

“들어가겠습니다!”

양탁락을 본 순간 연복의 숨이 멎는다.

하지만 태연해야 된다. 여기서 이상한 모습을 보이면 자신은 죽는다.

‘아버지!’

“……너 뭐이니?”

“저, 저녁 장사 시작 전엔 여기서도 일을 합니다. 저만 바라보는 동생들이 많아서…….”

양탁락은 헛웃음을 터트렸다.

“이 앙큼한 버러지 새끼. 그래서 여길 말한 거이니?”

연복의 앙큼한 짓거리에 양탁란은 부아가 치밀었다.

“죄, 죄송함다. 하, 하지만 이벤트는 진짜임다!”

“술 내려놓고 꺼져라. 처맞기 전에.”

“죄, 죄송함다…….”

“맞기 전에 아가리 다물어라.”

입을 꾹 다문 연복은 고개를 숙인 채 맥주병들을 테이블에 올렸고, 기분이 상한 양탁락은 혀를 차며 소파에 앉았다.

"아, 안녕히 계십쇼!"

후다닥 8번 룸을 빠져나온 연복은 순간 힘이 풀리는 다리에 카운터를 붙잡았다.

'이, 이게 뭐이라니? 지, 지금 이자들이 뭔 소리를 하는 거이니?'

예상치도 못했던, 단 한 번도 의심하지 않았던 진실을 알게 된 연복은 하얗게 질렸다.

* * *

"연복아, 그게 무슨·말이니!"

정혁빌딩의 1층 카페.

오늘 자신들이 알아낸 정보를 말하고자 종혁을 찾은 상인 몇 명은 연복이 꺼낸 말에 파랗게 질렸다.

"재밌네."

종혁의 입가에 미소가 번지자 카페의 공기가 낮아진다.

"이제야 알겠어."

조선족도 사람인 이상 숙일 줄도 알아야 하는데, 계속 망종을 부린 이유를.

경찰 무서운 줄 모르고 계속 대거리를 한 이유를.

서로 타협을 하고 맞춰 가면 되는데도 그럴 기미가 보이지 않은 채 무작정 경계하고 적개심을 보인 이유를 말이다.

"그래, 너희 동네에 미꾸라지가 있었구나?"

솔직히 정문철이 나타났기에 조선족 실태 조사를 뒤로 미뤄 뒀던 종혁은 헛웃음을 터트릴 수밖에 없었다.

'하, 이 깜찍한 새끼들을 어떡하면 좋지?'

"이, 이건 뭔가 잘못된 것일 검다!"

"맞습니다!"

"연복아! 뭐라고 말 좀 해 보라!"

종혁은 입을 꾹 다문 채 이쪽을 보는 연복과 그런 연복을 다그치는 상인들을 봤다.

아니어야 한다. 이건 무조건 아니어야 한다.

"연복이가 평소에 거짓말을 하는 그런 아이였던가요?"

"……."

결국 진실을 받아들이게 된 상인들은 고개를 숙였다.

"죄, 죄송함다."

"아냐. 네가 죄송할 게 뭐있어."

이제 겨우 15살인 연복이 죄송할 게 뭐 있겠는가. 오히려 위험을 무릅쓰고 이런 엄청난 정보를 가져온 게 대견하고 미안할 뿐이다.

종혁은 연복과 함께 온 다른 상인들을 봤다.

놈들이 누굴 만나는지 사진을 찍어 온 상인들. 그들의 얼굴이 터질 만큼 빨갛게 달아올라 있었다.

조선족들이 한국인을 싫어하는 게 이런 이유 때문이었다니.

이런 인간 같지도 않는 한량들에게 휘둘렸다니.

그들은 쪽팔리고 미안해서 고개를 들 수가 없었다.

“어떻게 생각하십니까?”

연복이야 어리다지만 이들은 다 큰 어른이다. 자신의 행동에 책임을 질 나이였다.

“미, 미안하다.”

“……에혀. 됐습니다.”

이들도 반쯤 피해자인데 누굴 탓할까.

원래 인간이란 이렇게 선동당하기 쉬운 생명체였다. 죄라면 이들이 인간인 것뿐이다.

“그래도 이렇게 정보를 가져오셨으니 추가로 2년간 월세와 관리비는 받지 않겠습니다. 놈들이 뭘 하는지는 알아내지 못했으니까요.”

“하, 하지만!”

“시간을 좀 더 주시오!”

“아뇨. 지금부터는 당신들이 개입할 일이 아닙니다.”

사업이 본격적으로 시작됐다며 여론을 형성하라고 했다. 함부로 그들 영역에 발을 디뎠다간 이들이 다친다.

‘그건 나도 마찬가지긴 한데…….’

정문철이 위조지폐범이란 걸 밝힐 수만 있다면 얼마나 좋을까.

‘골치 아프네.’

놈들 아지트를 어떻게 넘어야 할지 답이 나오질 않았다. 한숨을 내쉰 종혁은 아쉬워하는 상인들을 일견하며 연복을 봤다.

"연복이는 잠시 나 좀 볼까?"
"예!"
기다렸던 부름인데 어찌 거부할까.
안쪽으로 간 종혁은 대뜸 명함을 내밀었다.
"이분께 아버님 모시고 가. 연락해 놨으니까."
연복은 들켜 버린 속내에 눈을 부릅떴다.
"어, 어떻게……."
그건 묻지 말라는 듯 옅게 웃은 종혁은 명함 한 장을 더 내밀었다. 행복의 쉼터 재단 권회수 이사장의 명함이었다.
"아무 걱정 없이 공부를 하고 싶으면 내 소개를 받았다고 여기로 연락해. 그 어떤 조건도 따지지 않고 충분히 지원해 주는 곳이니까. 그리고 다른 도움이 필요하면 여기 내 번호로 연락해 주고."
"아, 아니……."
"이젠 네 나이에 맞게 살도록 해, 연복아."
가족을 위해 위험을 무릅쓴 연복.
얼마나 무서웠을까. 얼마나 두려웠을까.
"이젠 다신 이런 일은 하지 말고."
"큽……! 가, 감사함다. 저, 정말 감사함다."
"그래. 다음엔 교복 입은 모습으로 보자."
"크흐흐흐흑!"
연복의 어깨를 두드린 종혁은 카페를 빠져나와 담배를 물었다.

"한국인이나 조선족이나……."

왜 저런 아이들이 많은지 모르겠다.

왜 부족한 게 많아 위험을 무릅써야 하는지 모르겠다.

종혁이 안타까움에 한숨을 내쉬던 그때였다.

"응?"

정혁빌딩 입구에서 웬 남성과 경비원 드미트리가 실랑이를 벌이고 있다. 그런데 그 남성이 아는 얼굴이다.

"거 꼭대기 층에 사는 순철 동무에게 모란이 피었다는 말만 전해 주면 된다고 하지 않았습네까."

"신원 불명의 사람의 말을 입주민에게 전달할 수 없습니다."

"그럼 여기에서 기다리게만 해 주시라요."

"그것도 안 됩니다."

"아니……."

종혁은 피식 웃으며 둘에게 접근했다.

"북한 사람도 아니라는 말을 씁니다?"

"……!"

"그리고 모란이 필 계절은 멀었는데, 왜 모란이 피었다고 하세요? 정찰총국에서 화훼 농장도 합니까, 리동수 조장?"

태국에 있을 때 순영을 잡으러 왔던 정찰총국의 리동수 조장.

"사, 사람 잘못 보셨습네다. 큼."

"흠. 그래요? 국정원 번호가 몇 번이더라……."

"비공식으로 협조 요청을 하고 왔으니까네 전화하지 말라!"

기겁하는 리동수의 외침에 종혁도 기겁했다.

"왜? 아주 간첩이라고 동네방네 다 떠드시지?"

'비공식은 개뿔이.'

비공식이든 뭐든 리동수가 정혁빌딩에 접근하는 순간 나탈리아나 국정원이 연락을 해 왔을 것이다.

"흡!"

"됐고. 따라와요."

종혁은 손가락을 까딱였고, 눈을 데굴데굴 굴리던 리동수는 이내 한숨을 푹 내쉬며 종혁의 뒤를 따랐다.

"리동수…… 조장 동지?"

마침 물을 마시러 거실로 나오던 순철은 리동수를 보고 하얗게 질렸다.

"번거롭게 하지 말라."

"흡!"

"아니, 왜 애 겁을 주고 그래요? 철이는 방에 들어가."

종혁의 눈치를 보며 경례를 한 순철은 냉큼 방에 들어갔고, 리동수는 얼굴을 구겼다.

종혁은 그런 그를 끌고 부엌으로 향했다.

탁! 탁!

달콤한 오렌지주스가 리동수의 앞에 놓였다.

"순영 씨가 보냈어요?"

"쿨럭! 컥!"

"에이, 진짜."

종혁은 걸레로 어질러진 테이블을 닦으며 입을 열었다.

"아무래도 내가 보낸 사진 때문에 온 것 같은데…… 그 새끼가 그만큼 중요한 놈인가? 그래서 철이 옆구리를 찔러 내가 그 사진을 어디서 찍었는지 알아보시려 했다?"

"끄응."

"에라이. 이렇게 허술한 양반이 어떻게 정찰총국 조장이지?"

"그, 그만 놀리라!"

"됐고. 뭐하는 새낍니까? 나도 대충 통빡이 굴려져서 그래."

"……모작 전문가다."

"아, 그래요? 그럼 공화국의 외화벌이에 큰 손해를 끼치고 튄 놈인가?"

"……!"

"거참 알기 쉬운 양반일세. 전에는 안 그랬던 것 같은데……."

"어흠흠."

'흠. 그럼 정문철은 죽었을 확률이 크겠네…… 씁!'

어디 종혁이 조선족 깡패들을 모를까. 그렇게 됐을 확률이 80퍼센트 이상이었다.

위조지폐를 만들어서 결국 정부까지 움직이게 만든 정문철이지만, 그래도 죽을 정도까진 아니었던지라 입맛이 썼다.

하지만 이 상황 자체만 놓고 보면 나쁘지 않았다. 아

니, 종혁으로선 횡재였다.

'요게 요렇게 풀리나?'

"그런데 정말 협조 요청을 하고 내려온 거 맞아요?"

"아니면 내가 이 서울 바닥을 돌아다닐 수 있었을 것 같네?"

'그건 맞지.'

무려 정찰총국의 조장이다. 국정원이 두 눈 시퍼렇게 뜬 채 감시하는.

"그럼 나하고 거래 하나 합시다."

"거래?"

"은신처, 활동 자금, 그리고 그놈까지 다 순순히 넘겨 드릴게."

"……뭘 원하네?"

바라는 건 당연히 한 가지뿐이다.

하지만 정찰총국이라는 패를 손에 쥐었는데 그걸로 만족할 수 있을까.

종혁은 눈을 초롱초롱 빛냈다.

"그보다 몇 명이나 데리고 오셨어?"

종혁은 마치 얼마까지 알아보고 오셨냐는 상인처럼 음흉하게 물었다.

* * *

쿵! 쿵! 쿵!

–안녕하십니까. 오늘 저희 오락실이 오픈을 맞아…….

가리봉동 조선족 밀집 지역 내에서도 우범 지역이라 꼽히는 곳, 종혁이 노린 창고 근처가 난데없는 오락실 오픈 때문에 시끄럽다.

성인 오락실도 아닌 인형뽑기나 코인노래방 따위가 있는 일반 오락실.

그것도 무려 3층짜리다. 옆 번화가라면 모를까 노래방이나 식당, 호프집 따위만 몇 개 있는 이 동네와는 전혀 어울리지 않는 시설이다.

그러나 주민은 숨을 죽였다. 화환이 주르륵 놓인 오락실 앞에 서 있는 검은 양복의 사내 8명 때문이다.

안에 하와이안 셔츠나 황금색 셔츠를 입은 껄렁껄렁한 사내들.

"이게 뭔 짓인지 모르겠습네다."

자신들은 그놈을 잡으러 온 것뿐인데 왜 오락실을 오픈해야 되는지, 놈이 근처에 있는데 왜 잡지 못하는지 이해를 할 수가 없다.

그건 리동수도 마찬가지였지만 할 말이 궁색해진 그는 정색했다.

"위대한 공화국 전사가 돼서 은혜를 입어 놓고도 모른 척해야 되겠네? 우리가 짐승이네?"

그들이 지금 입고 있는 옷, 숙소, 차 모두 종혁이 준 것이다.

"거기다 종혁 동지 말 못 들었네?"

여기서 번 돈은 모두 북으로 가져갈 수 있다고 했다.
"잠시 림무를 수행하면서 공화국의 외화벌이를 한다고 생각하라."
"……알갔습네다."
띠리링! 띠리링!
리동수는 재빨리 핸드폰을 들었다.
—이야, 잘 어울리는데요? 진짜 깡패라고 해도 믿겠어요.
……빠드득!
"종혁 동지, 지금 어디네? 나 좀 보자우."
빠앙!
제법 멀리서 경적을 울리며 불빛이 깜빡이는 외제차.
재빨리 걸음을 옮긴 리동수는 보조석에 올라탔다.
"지금 이게 뭐하는 짓이네?"
몇 명이나 왔냐고 물어보기에 잠입 같은 걸 시키려는 줄 알았다. 그런데 팔자에도 없는 오락실이라니.
"미안합니다. 나도 그걸 생각 안 한 건 아닌데, 그럼 일이 좀 복잡해져서……."
아니다. 이들이 잡으러 왔다는 그 위작 전문가라는 놈 때문에 방법을 급선회한 것이다. 그저 컴퓨터 포토샵이나 다룰 줄 알던 정문철에게 위작 전문가가 붙었다.
'위조지폐의 퀄리티가 말도 안 되게 높아졌겠지.'
그걸 과연 리동수가 두고 볼 수 있을까?
위작 전문가만 쏙 빼돌려 일을 어그러뜨릴 수도 있었다.

'내가 너희를 어떻게 믿는데?'

물론 순영과 순영이 보낸 리동수는 믿는다. 하지만 리동수의 조원들은 믿을 수가 없었다.

'내가 먼저 그 지폐를 확보해야 돼.'

위작 전문가까지 말이다.

"그렇다고 우리가 하고 싶어도 얼굴도 노출이 됐고, 이게 또 우리가 하면 함정 수사라……."

그래서 이렇게 이유들이 서로 물리고 물리니 결국 리동수를 쓰기로 한 것이다.

리동수는 얼굴을 와락 구겼다.

"남조선 수사는 참 복잡하구나야. 그러니 범죄자가 넘쳐 나는 거 아니네!"

"그러는 공화국은 아무나 막 때려잡아서 범죄청정지역이신가?"

"……공화국을 욕되게 하디 말라."

"당신이 먼저 우리 쪽 수사 방식 건드렸잖아요."

"흥. 그래서 대체 뭘 노리는 거이네?"

삽시간에 차가워지는 리동수의 눈빛에 종혁도 살벌하게 웃었다.

"대충 눈치챘잖아요. 당신들이 찾으러 온 위작 전문가와 함께 있는 새끼들. 그 새끼들이 뭔 짓을 꾸미고 있는지 모를 아지트에 들어갈 수 있는 명분."

그래서 이들을 깡패로 위장시키는 것이다.

탈북 새터민 깡패.

"후. 정찰총국의 혁명전사가 그 아새끼 하나 때문에 이게 뭔 짓인디……. 알았다, 내 너이 계략에 함 어울려 주갔어. 그런데 놈들이 찾아오갔네?"

"그럴 수밖에 없게 만들 겁니다."

"음?"

"그건 지켜보면 알 테니 부탁 좀 할게요. 우리 최 경장도요."

"아하하."

뒷좌석에 앉아 어색한 얼굴로 고개를 끄덕이는 최재수를 본 리동수는 혀를 차며 차에서 내렸고, 종혁은 최재수를 보며 입을 열었다.

"환전소 안에 침대랑 화장실 만들어 놨으니까 절대 나오지 마. 환전을 받은 돈도 무조건 네가 관리하고. 쟤들이 은행에 입금하러 갔다가 의심받으면 골치 아파진다."

"……옙!"

처음 하는 잠입 수사다. 그것도 무려 북한의 정보국과 협조하여서 말이다.

'크으으!'

이걸 잠입 수사라고 할 수 있을지 모르겠지만, 이미 혼이 쏙 빠진 최재수는 힘차게 고개를 끄덕이며 목에 두른 목도리를 코끝까지 올렸다.

그때였다.

"잠깐."

놈들의 공장 있는 골목을 보며 최재수를 멈춰 세운 종

혁은 눈을 가늘게 떴다.

'저건 또 뭐지?'

"저것들은 또 뭐이니?"

이상한 놈들이 기어 들어왔다는 소리에 공장을 나선 장발 사내는 시끄러운 오락실을 보며 눈을 가늘게 떴고, 양탁락은 혀를 찼다.

"아무래도 한국 조직 같습니다."

"나도 눈 있다. 내가 물은 건 저놈들이 왜 내 구역에 기어 들어왔냐는 거다."

정확히는 구역이라고 할 수 없다.

영역으로 선포한 것도 아니고, 보호비를 걷은 것도 아니니까. 괜히 그런 짓을 했다가 한국 경찰이 알게 되면 큰일이니까.

한국 경찰이 무서운 게 아니라 그들의 수사망에 올라가 중국 공안이 찾아오는 게 무서운 것이다.

그래서 흑룡강성에서 도주하며 챙긴 돈으로 은밀히 사업을 벌였고, 훗날 그 돈으로 이 일대를 장악하려고 했다.

건물을 사고, 비싼 월세를 놓고, 누구도 자신들이 여기에 있다는 걸 모른 채 동네를 장악하려고 했다. 장발 사내는 처음부터 계획을 아주 길게 세웠다.

물론 지금은 위조지폐가 생기면서 그 계획이 많이 달라졌다지만, 그래도 이 일대를 돈으로 장악하려는 생각은 달라지지 않았다.

즉 여긴 자신들의 구역이었고, 저놈들은 감히 자신들의 구역을 쳐들어온 것이었다.

"형님! 형니메!"

"뭐이니?"

"저, 저놈아들 한국 조직 아입니다. 조선 놈들임다."

"……조선?"

북한. 장발 사내와 양탁락의 얼굴에 조소를 터트렸다.

"얼빵한 놈들이 우리 배를 불려 주기 위해 왔구나."

성인 오락실도 아니고 일반 오락실이다.

아무래도 탈북한 놈들이 먹고살 길이 궁해 서로 돈을 모아서 오락실을 차리고, 혹여 기가 센 조선족들에게 불이익을 당할까 저렇게 검은 양복을 빼입은 것 같다. 정말 얼빵한 놈들이었다.

"적당히 지켜보다가 치우라. 기계는 부수지 말고."

"예, 알갔습다."

"그리고 탁락이는 오늘 박 사장과 거래 끝나면 애들 회포나 풀게 해라."

드디어 오늘이다.

자신들이 만든 위조지폐가 풀리는 날이, 아니 자신들이 돈방석에 앉는 날이.

"예. 밑에 애들 시켜서 알아보겠습다."

"우르르 몰려다녀서 괜히 한국 공안이 눈치채게 하지 말라."

"걱정 마십쇼, 형님."

고개를 끄덕인 장발 사내는 안으로 들어갔고, 양탁락은 담배를 물며 턱으로 오락실을 가리켰다.

"저기에 뭐가 있다니?"

"대충 가서 살펴보니 동전 넣고 노래 부를 수 있는 가라오케랑 인형뽑기, 게임들이 있었슴다. 성인 오락 게임기도 있었음다."

"성인 오락 게임?"

"상품권을 돈으로 바꿔 주는 게 아니라 상품으로 바꿔 준담다."

"그거 쨉 놈들 수법 아이니? 야, 조선놈들 공안 놈들 검사 안 받으려고 마빡 좀 굴렸구나."

애초에 성인 오락은 돈으로만 안 바꾸면 불법이 아니다.

그래서 성인 오락실이 현금이 아니라 상품권을 주는 것이고, 기존 조폭들은 성인 오락실 옆에 상품권 교환소를 차려 환전시 발생하는 수수료로 수익을 내고 있었다.

즉, 오락실은 일반인을 끌어들여 차리게 하고, 조직이 투자를 해 수익을 나누면서 수수료까지 먹는 것이다.

괜히 오락실을 조직 명의로 운영하다가 경찰에겐 날벼락을 맞아 영업을 아예 접는 것보다는 그게 더 안전하게 수익을 낼 수 있으니 말이다.

하지만 그래도 단속을 하려면 얼마든지 한다.

"근데 이게 휘황찬란함다."

“그래? 뭐가 있다니?”

“혹시 20만 원짜리 면도기라고 들어 보셨습까?”

“20만 원?!”

양탁락은 호기심을 드러냈고, 부하는 자신이 본 걸 열심히 설명했다. 그리고 멀리 떨어진 차에 앉은 종혁은 그런 그들을 보며 의미심장한 미소를 지었다.

‘저 빡빡이가 굽실거리는 놈이 있다라…….’

연복들의 말이 아니라도 그냥 봐도 중간보스 이상인 포스를 뿜어 대던 빡빡이.

‘그럼 두목이네.’

좋은 정보를 얻었다.

“가 보고. 저녁엔 나 봐도 아는 척하지 마라.”

“예!”

최재수가 내리자 종혁은 핸드폰을 들었다.

“예. 접니다, 조주환 선배님.”

종혁은 차를 출발시켰다.

* * *

“후. 정말 해야겠어요?”

“죄송합니다. 저도 과장님께서 처음 지시하신 업무만 아니었어도…… 하하. 협조 부탁드리겠습니다. 이건 저희 때문에 수고하시게 됐으니까 끝나고 회식이나 하십쇼.”

종혁은 슬그머니 수표를 찔러 줬다.

'수, 수표?'

그것도 백만 원짜리가 다섯 장이다.

"그리고 한번 길들일 때도 됐잖습니까."

맞는 말이다. 안 그래도 종혁에게 말한 게 있으니 조만간 조선족 조폭들을 한번 털려고도 했었다.

형사라면 다 알고 있지만, 암묵적으로 허용하는 조폭 봐주기.

여차해서 종혁이 기분이 나빠져 이쪽에 통보도 없이 엎어 버리면 조선족 밀집 구역을 관할로 두는 그들도 골치가 아프니 차라리 자신들이 나서는 게 나았다.

"……쯥. 그럽시다. 뭐 공문도 내려왔으니까."

이 부분은 종혁도 놀랐다.

정용진 과장이 이걸 승인해 줄 거라곤 생각도 못했다.

"본청 수사팀이 까라는데 까야지. 씨벌."

조주환은 뒤에 서 있는 형사들과 제복 입은 경찰들을 봤다. 진압복을 입은 전경들도 있었다.

"모두 방검복 착용했지?"

"예!"

조주환뿐만 아니라 종혁에게 회식비를 받은 모든 경찰이 우렁차게 대답한다.

"여차하면 칼 휘두르는 놈들 있는 곳이니까 특별히 주의하고, 반항하면 박살 내 버려. 사정 봐주지 말고."

"예!"

"가자."
우르르 차에 오른 그들은 곧 조선족 밀집 지역으로 향했다.

* * *

콰앙!
"단속입니다!"
오후 9시의 가리봉동. 조선족 밀집 지역 전체가 일거에 날벼락을 맞는다.
"자자, 동작 그만!"
"꺄악!"
"이 씨발! 너희 뭐이니!"
"뭐긴 뭐야, 경찰이지. 자, 여기 보시고."
찰칵!
"오, 오늘 처음 온 검다!"
"오, 오늘이 첫 출근이에요!"
"예. 이야기는 서에 가서 합시다."
성인 오락실, 노래방, 성매매를 하는 모텔, 보도방, 마작도박장 등 식당이나 술집을 제외한 모든 곳이 단속을 맞는다.
"형사님, 왜 이러시는 검까. 저희가 뭐 실수한 거라도 있음까."
조주환이 조용히 눈감아 주고 있던 청사파 두목이 모텔

에서 끌려 나오며 억울한 표정을 짓는다.

"본청에서 사람들이 왔어."

"예?"

"그러게 분위기 관리 좀 똑바로 하지 그랬냐. 너희 조선족이 사고 치지 못하게 어? 사고 친 놈이 있으면 따로 불러서 다신 그러지 못하게 하든가."

"아니, 그걸 저희가 왜 해야 됨까. 그리고 그걸 어찌 다 함까!"

"그럼 내가 하리? 나도 어쩔 수 없으니까 이해해. 내일 적당히 두세 놈 내놓으면 훈방으로 풀려날 거야. 그놈들도 적당히 벌금만 맞고 끝날 거고."

정말 마음 같아선 이놈도 함께 처넣고 싶지만, 이놈이 사라지면 또 누가 슬그머니 기어 들어와 이놈들의 구역을 차지하기 위해 동네를 쑥대밭으로 만들 테니 어쩔 수가 없었다.

"하아. 알겠습다."

'알겠긴. 씨발.'

짜증을 억지로 참는 그의 모습에 순간 손을 들 뻔했던 조주환은 이내 애써 참아 내며 관용차의 문을 닫았다.

드르륵! 탁!

"카악, 퉤! 야, 나 최 팀장한테 갔다 온다. 제일 위험한 구역에 갔잖냐. 혹시라도 칼 맞으면 골치 아프다."

본청 수사팀장이 일제 단속을 벌이던 와중에 칼을 맞는다?

그땐 정말 동네가 뒤집어지는 거다. 이전 검찰의 단속과는 비교도 할 수 없을 만큼 말이다.

"예! 다녀오십쇼!"

"어휴. 왜 그런 위험한 곳에 가고 지랄이야."

그는 고개를 저으며 재빨리 그쪽으로 향했다.

도착하자마자 보이는 노래방에서 끌려 나오는 업주와 도우미, 손님들.

여긴 유흥 시설이랄 게 호프집과 노래방 몇 곳뿐이었지만, 경찰들은 번화가보다 더 긴장을 하며 그들을 관용차에 실었다.

"응? 어떤 미친 새끼가 여기에 오락실을 오픈했지? 아, 최 팀장!"

"예!"

놀라 이쪽을 보고 있는 리동수를 향해 씩 웃어 주던 종혁은 고개를 돌렸다.

"그쪽은 다 끝나셨습니까?"

"대충 마무리되는 상태죠. 여기는요? 최 팀장은 다친 곳 없고요?"

"그냥 들어갔다가 데리고 나오면 되는 걸로 다칠 게 있나요. 아, 모텔 하나 있는 거 한번 뒤져 봤는데, 거긴 뭐 없던데요?"

"거봐요. 내가 뭐랬어요. 거긴 그럴 깜냥이…… 이크!"

부르릉!

스쳐 지나가는 트럭을 피한 조주환은 이내 술잔을 꺾는

시늉을 했다.

"다 됐으면 한잔하러 가죠? 다행히 별일은 없었으니까."

"어? 괜찮겠습니까?"

"괜찮아야죠. 아니면 날밤 까야 하는데……."

오늘 일제 단속에 동원한 경찰 병력만 수백 명이고, 현장 검거된 이들도 백 명이 넘는다. 내일 아침 해가 뜨는 걸 보면서 퇴근할 수 있었다.

"아하하, 죄송합니다."

"에휴. 됐습니다. 이건 뭐 공문이 내려온 거라 말도 못하고……. 그럼 이따가 연락할 테니까 와요."

"옙. 이따가 뵙겠습니다."

종혁은 조주환이 멀어지자 담배를 물었다.

'그렇지. 공문 때문이지.'

그게 아니었다면 이렇게 일제 단속을 벌일 수 있었을까. 이건 종혁이 아무리 돈이 많아도 불가능한 일이었다.

'대체 과장님은 내 뭐를 믿고 승인을 한 거지?'

정확한 실태 조사를 위해 일제 단속이 필요하다고 하니 망설임도 없이 그러라고 했던 정용진 과장.

'날 믿는 건지, 아님 이것도 시험인…… 음?'

"왜 그래요?"

"아니, 방금 전 저 골목에서 나온…… 음, 아니다. 그럼 이제 된 거냐?"

찰칵! 치이익!

“네, 됐죠.”

이제 이 근방에 유흥 시설은 저기 오락실 하나만 남았다.

놈들이건 놈들 똘마니건 분명 찾아올 터.

그때 리동수가 시비를 걸어 작은 소란만 일으키면 된다.

‘그럼 합법적으로 놈들의 공장을 뒤져 볼 수 있는 거지. 놈들이 위조지폐를 써 주면 더 좋을 테지만…….’

혹시나 그럴까 하고 최재수를 오락실 환전소에 처박아 놓은 거지만, 얼마가 걸릴 줄은 모른다.

“이젠 놈들이 멍청하고 성급하기만을 바라야죠.”

“걱정 마. 그런 놈들 인내심 깊은 거 봤…… 끙. 그러네.”

무려 8개월이다. 저 공장에 새로운 세입자가 생긴 게.

등록한 업종은 원단 납품. 중국에서 원단을 떼어 와 동대문이나 남대문에 납품을 하는 곳이다.

지금까지 속내를 꽁꽁 감춘 채 여론만 어지럽히던 놈들. 인내심 하나는 인정해 줘야 했다.

“역시 대량으로 위작을 풀려는 건가?”

그럼 아마 저놈들만 친다고 해서 끝이 나는 일이 아닐 거다.

“뭐, 이제 곧 확인되겠죠. 갑시다.”

판을 깔았으니 이제 남은 건 다시 기다리는 일뿐이었다.

* * *

인천 외곽의 한 공터. 이미 선객이 있는 그곳에 가리봉동에서 출발한 탑차와 도중에 합류한 승합차 두 대가 멈춰 선다.

타악! 드르륵!

탑차에서 내린 장발의 사내는 승합차에 내린 조직원들과 함께 먼저 와 있는 선객에게로 향했다.

그들이 타고 온 것과 똑같이 생긴 탑차와 승합차 앞에서 있는 십여 명의 검은 양복들. 장발 사내는 헤드라이트 불빛을 등진 채 선글라스를 끼고 있는 사십대 중년인에게로 향했다.

"박 사장."

"천 사장."

서로 악수를 한 장발 사내는 담배를 물었다.

"돈은?"

"물건은?"

"돈부터."

피식 웃은 사십대의 사내는 손을 들었고, 이내 그의 뒤에서 서류 가방을 든 사내가 걸어 나왔다.

달칵!

"빳빳한 걸로 40억. 나머진 저기 차에 있고."

"……탁락아."

장발 사내의 부름에 양탁락도 서류 가방과 핸드백 하나를 들고 온다.

"살펴보오."

양탁락이 열어 주는 서류 가방 속, 하얀 가루가 든 투명 봉투와 함께 든 5천 원짜리 뭉치 중 하나를 꺼내 든 그는 손전등을 꺼내 지폐를 살펴보곤 입술을 비틀었다.

"예술이군."

두께나 감촉 모두 위화감이 없다. 기계로 검사하지 않는 이상 절대 알아차리지 못할 정도다.

"우리 쪽 그림쟁이 솜씨가 좋소. 다른 것도 살펴보오."

사십대 중년인은 다시 손을 들었고, 그의 뒤에 서 있던 다른 사내가 하얀 가루가 든 투명 봉투 하나와 핸드백을 가지고 갔다.

그리고 이내 중년인을 보며 고개를 끄덕였다.

"천 사장 기술자들 솜씨가 참 좋아. 나머지도 믿을 만하겠지?"

"겨우 40억 따위로 장사 접을 마음 없소."

"그건 나도 마찬가지지. 그럼 이제 서로 키를 교환해 볼까?"

복잡하게 내용물을 옮길 필요 없이 타고 온 차들만 바꾼다. 깔끔한 방식이었다.

그렇게 키와 서류 가방을 교환하던 장발 사내는 슬그머니 중년인을 봤다.

"그런데 그 많은 건 어찌 처분할 생각이오?"

움찔!

순간 박 사장이 선글라스를 내려 눈을 보이며 이를 드러냈다.

"이봐, 천 사장. 선 넘지 마."

"미안하오. 그럼 다음 거래는 언제 하겠소?"

"……두 달 뒤. 우리도 위폐를 처분할 시간이 필요하니까."

"알았소. 그땐 약이 좀 많을 거요."

"흥. 가자."

손을 놓은 박 사장이 장발 사내를 스쳐 지나가자 이를 악문 양탁락이 장발 사내가 아직까지 물고 있는 담배에 불을 붙였다.

"태워 버릴까?"

"됐다. 아직은 아이다."

정말 아니다. 저놈들 조직을 한입에 삼킬 때는.

장발 사내는 공터를 빠져나가는 차들을 보며 입을 열었다.

"내일 되면 중국에 보내는 애들 늘려서 약을 더 받아와라. 동대문 남대문 쪽과 원단 교환도 신경 쓰고. 요새 공안이 냄새 맡았다고 흉흉하다."

"알겠습다. 그보다 오늘 회식은 어찌함까."

그들도 오는 와중에 봤다. 동네 모든 유흥업소가 일제히 단속을 맞는 걸 말이다.

"……일단 오늘은 대충 술 마시고 내일 생각하자."

"끙. 알겠습다."

오늘 큰돈이 들어왔으니 옆구리에 여자를 끼고 술을 옴팡 마시는 게 계획이었던 그들. 양탁락은 부하들을 어떻게 달래야 할지 가슴이 답답해졌다.

'여자는 날아갔으니 다른 걸로라도 채워야 하는데 그마저도…… 아.'

"그럼 오늘 연 오락실에 보내도 되겠습까. 게임을 하면 20만 원짜리 면도기나 브랜드 속옷 같은 걸 상품으로 얻을 수 있담다."

"20만 원짜리 면도기? 면도기에 금을 바른 거이니?"

"가 봐야 알 것 같습다. 또 동전 넣으면 노래 부를 수 있는 기계도 있담다. 리, 리듬 게임? 그런 것도 있담다."

"……사고만 치지 마라. 오늘은 동네 공기가 더럽다."

"걱정 마십쇼."

"그럼 알았다. 가자."

장발 사내는 넘겨받은 키를 양탁락에게 주며 승합차로 향했다.

그리고 그들도 곧 공터를 빠져나갔다.

* * *

자정이 다 된 오락실, 정찰총국의 요원들이 리동수에게 거수경례를 한다.

"저흰 먼저 들어가겠습네다."

“그래. 자라.”

놈들이 걸려들 그날까지 24시간 운영하기로 한 오락실.

그들은 5명이 정오부터 자정까지, 남은 3명이 자정부터 정오까지 24시간 2교대 체제로 오락실을 지키기로 했다.

“최재수 동지?”

우당탕!

졸다가 침대에서 떨어진 최재수가 환전소 구멍 안으로 눈을 들이민 요원에게 어색하게 웃는다.

“드, 들어가세요!”

“……푹 주무시라요.”

고개를 저은 요원은 몸을 돌렸다.

“저 동지는 한참 봐야 사람 같은 놈이지 않네?”

“에이, 그 정도 수준은 아닌 것 같습네다. 그보다 게임해 보셨습네까?”

“리듬 게임이라는 거 요물이더라야. 안력 훈련에 좋갔더랐어.”

“전 순발력과 통찰력 훈련으로 땅따먹기 게임이란 거이…….”

두런두런 이야기를 나누며 오락실을 떠나는 그들.

그들이 어둠 속에 삼켜지는 것을 바라보던 리동수는 아이스크림을 입에 문 채 낯빛을 흐렸다.

‘벌써 남조선 자본주의에 물드는구나야.’

정찰총국이라는 기관 특성상 그럴 수밖에 없지만 그래도 입맛이 썼다.

스릅, 쪽! 스릅, 쪽!

“그런데 남조선 아새끼들은 얼음보숭이에 대체 뭔 짓을 한 거이네?”

꿀이라도 탄 건지 자꾸자꾸 손이 간다.

“비비빅…… 갈 때 많이 사 가야겠구나.”

잊지 않겠다는 듯 껍데기를 뚫어져라 쳐다보던 그는 멀리서부터 가까워지는 소음에 고개를 돌렸다가 헛웃음을 터트렸다.

“효과가 좋구나.”

스릅스릅스릅!

“보오. 내가 24시간 한다고 했잖습까!”

“거 알았다. 아주 잡아먹겠구나야.”

술 냄새를 풀풀 풍기며 어슬렁거리며 나타나는 4명의 사내들.

그중엔 요주의 인물인 양탁락이 있다.

“PY 게임센터에 오신 걸 환영합네다. 어서 오시라요.”

아이스크림을 슬그머니 뒤로 숨기며 인사하는 리동수의 모습에 잠시 멈춘 양탁락은 코웃음을 치며 안으로 들어갔다가 놀랐다.

‘이게 뭐이니? 여기가 오락실 맞니?’

“크. 형님, 죽이지 않습까?”

그들이 생각하는 우중충한 인테리어가 아니라 인조대

리석으로 꾸며진 화사한 공간. 은은한 푸른빛 조명이 마음을 가라앉힌다.

심지어 지폐 교환소 옆으로는 음료수와 씹을 거리도 판다. 소주와 맥주도 말이다.

'그래, 너희도 남조선 자본주의의 무서움을 알게 됐구나.'

리동수는 흐뭇하게 웃으며 그들에게 다가갔다.

"저희 PY 게임센터에서 게임을 하려면……."

툭!

"함부로 다가오지 말라. 그러다 죽는다."

양탁락도 아닌 똘마니가 툭 밀자 리동수는 멈춰 섰고, 그에 정신을 차린 양탁락은 그걸 어떻게 오해한 건지 킬킬 웃으며 동전교환기 앞을 기웃거렸다.

"야, 이건 만 원 교환이 아이 되는 거이니?"

"그러게 말입다. 아, 저기 지폐 교환소 있습다."

"이거 다 바꿔 와라."

"사, 삼십만 원이나 말입까?"

"너희들은 안 놀 거이니? 여기 돈 나눠 줄 테니 너희들 알아서 놀라."

"형니메……."

다른 이들도 감동한 얼굴이 된다.

양탁락은 그런 그들을 보며 흐뭇이 웃었다.

"오늘 날 새 보자. 술도 사라."

"와아아아아!"

"알겠슴다! 여기 돈 바꿔 달라!"

"예, 예!"

최재수는 지폐를 받아 들며 떠듬떠듬 입을 열었다.

"어떤 게임을 하실 건가요? 일반 게임은 백 원짜리도 충분한데, 리듬게임은 오백 원, 경품 게임은 천 원짜리로 가능하세요!"

"적당히 바꿔라! 그리고 술도 적당히 내놓으라."

"술은 가져오셔야 해요! 그리고 일반 게임장에서 술은 취식 금지세요. 성인 게임 구역에서만 가능하세요! 다른 곳에서 취식하다 걸리면 경찰 부릅니다!"

"쯧, 알았다."

최재수는 4만 원은 동전으로, 나머진 천 원짜리로 바꿔 줬다.

"확인해 보세요."

"흥. 당연한 말을 하는구나. 백 원이라도 부족하면 넌 내 손에 죽는 거다."

"뭐하니. 대충 하고 오라."

"아, 알겠슴다! 너 운 좋다. 야, 와서 나 좀 도우라!"

그들은 돈과 술을 챙겨 우르르 안쪽으로 향했고, 최재수는 한숨을 폭 내쉬었다.

"이것도 쉬운 일이 아니네."

어색하게 말한 건 없었는지 되짚어 보던 최재수는 교환받은 지폐들은 한쪽으로 챙겼고, 리동수는 낄낄거리며 흩어지는 이들을 보며 아이스크림을 물었다.

"하, 이 한입거리도 안 되는 아새끼들. 참 아름답구나야."

하는 행동이, 그리고 마음이.

"조장 동지. 망치, 칼, 총 골라 잡으시라요."

"……술부터 먹이라. 잔뜩 취해서 난장 부리게. 그래야 명분이 선다. 그럼 현 시간부로 작전…… 시작이다."

그 한마디에 지금까지 불만 가득했던 요원들의 눈빛이 착 가라앉는다.

"알갔습네다."

리동수와 요원들은 안쪽을 보며 비릿하게 웃었다.

한편 일반 게임장임에도 캔맥주를 따는 양탁락에게 부하가 은근히 말을 건넨다.

"형님, 어떡함까. 지금 엎슴까?"

이래저래 건드려도 아무 말 못하는 게 생각보다 더 어수룩한 것 같다. 양탁락은 순간 혹했다가 고개를 저었다.

"됐다. 형님이 오늘 사고 치지 말라고 했다. 조용히 해라."

"……알겠슴다."

"그보다 20만 원 면도기는 어디서 뽑니?"

"아, 저쪽임다!"

"혀, 형님! 여기 게임기도 뽑을 수 있슴다! 이, 이거 30만 원이 넘는 검다!"

"뭐?"

다급히 고개를 돌린 양탁락과 부하들은 눈을 동그랗게 떴다.

인형뽑기 위에 방금 말한 게임기나 면도기, 심지어 최신형 핸드폰도 제조사별로 있다. 여기가 별세계였다.

"혀, 형님, 어떡함까. 망치 가지고 옴까?"

"……사, 사고 치지 마라."

'적어도 오늘은.'

종혁의 돈지랄에 양탁락의 마음은 크게 흔들렸다.

하지만 진정한 별세계는 이제 시작임을 그들은 몰랐다.

* * *

—빠바바밤! 와우! 당신은 가수 킹! 100점입니다!

"백 점이시군요! 여기 백 점 경품입네다!"

"겨, 경품?"

"인형과 음료수, 술이 있는데 뭘 고를 겁네까?"

"수, 술로 주오."

코인노래방에서 노래를 불러 대던 이들의 혼이 빠진다.

—빠바바밤!

"떠, 떴다-!"

"축하드립니다!"

3층, 경품 뽑기용 게임기 앞에 앉아 있던 사람이 양팔을 번쩍 든다.

이제 양탁락의 패거리 30여 명만 남은 PY 게임센터.

오늘 거래에 따라오지 않고 공장에 남아 있던 기술자나 나머지 패거리까지 모두 모였다.

그들은 여기저기서 쏟아지는 경품에 정신을 차릴 수 없었다.

특히 노리던 면도기 세트 등 옆에 경품을 산처럼 쌓아놓은 양탁락은 심장이 벌렁거리고 있었다.

흑룡강성 뒷골목 거지로 태어나 산전수전 다 겪으며 감정이 메마른 양탁락조차도 정신을 차릴 수 없는 행운의 연속. 목이 타서 견딜 수가 없었다.

옆에 놔둔 캔맥주를 입에 가져갔던 그는 얼굴을 와락 구겼다.

"여기 술 가져오라!"

그렇게 외친 양탁락은 다시 게임에 집중했다.

그러다 다시 옆으로 손을 뻗은 양탁락은 잡히는 게 없자 미간을 좁혔다.

주변을 둘러본 그는 헛웃음을 터트렸다. 죄다 이쪽은 신경 쓰지 않고 게임에 열중하고 있었다.

눈빛이 차가워진 양탁락은 담배를 물었다.

"어이, 뭐하니. 내 말 안 들리니?"

"예? 아, 형님. 죄송함다. 지금 바로……."

퍼억! 쿠당탕!

순간 PY 게임센터의 공기가 얼어붙는다.

그때였다.

"여기 서비습네다."

달그락!

푸근히 웃으며 다가온 리동수가 양주가 가득 담긴 플라스틱컵을 내민다. 그가 든 쟁반엔 그런 플라스틱컵이 가득 올려져 있었다.

"너흰 이런 것도 주니?"

"돈 많이 써 주시는 손님께 이따위가 문제겠습네까."

"……이야, 저 얼빵한 새끼들보다 네가 낫구나."

'이런 서비스를 줄 정도로 많이 벌었다는 소리구나.'

이곳 오락실을 접수해야겠다는 욕심이 다시금 고개를 치켜든다.

"힘든 일 있음 말하라."

속내를 숨긴 양탁락은 리동수의 목을 툭툭 쳤고, 패거리들은 고개를 숙이며 이를 악물었다.

그런 그들을 차갑게 노려본 양탁락은 1등 경품을 가리켰다. 무려 상품권 3천 장짜리 경품.

"그런데 저거 진짜 금이니?"

"99.9퍼센트 순금입네다. 8냥."

"8냥!"

거진 5백만 원에 달하는 가격에다가 중국인이라면 정

신을 못 차리는 숫자 8이다.

“오픈 이벤트로 딱 3일간 전시해 놓으니 얼마든지 따가시라요. 보아하니 곧 가져가실 수 있을 것 같습네다.”

“흐흥. 알았다. 가 보라.”

고개를 숙인 리동수는 성인 오락 게임관에 있는 똘마니들에게 컵을 모두 쥐여 주었다.

그러다 이들 중 유일하게 고개를 숙이고 있는 이를 보며 속으로 웃었다. 처음 양탁락과 함께 들어온 5명 중 한 명.

이렇게 퍼 주기만 해서 어찌 작전이라고 할 수 있을까. 빛이 있으면 어둠도 있는 법이었다.

리동수는 오늘 중 가장 밝게 웃었다.

“좀 따셨습네까?”

흠칫 몸을 굳힌 사내가 눈을 돌려 죽일 듯 노려본다.

“너이 조작하는 거 아이니?”

무려 십만 원을 꼬라 박았는데, 상품권 한 장이 안 나온다. 남들은 경품을 최소 한 개씩 바꿨는데 말이다.

“그럴 리가 있겠습네까. 한번 자리를 옮겨 보시는 게 어떻겠습네까.”

리동수를 빤히 보던 사내는 헛웃음을 터트리며 앉아 있던 의자를 집어 옆으로 던져 버리며 칼을 뽑았다.

쿠당탕!

다시 PY 게임센터의 분위기가 얼어붙는다.

“어디 계속 웃어 보라.”

"아, 그……."

리동수가 어색하게 웃는 그 순간이었다.

"주선달! 너 지금 뭐하는 거이니. 내가 사고 치지 말라 하지 않았니."

"하지만 형님!"

퍼억!

뒷말을 이어 가려던 사내는 얼굴로 날아온 플라스틱컵에 굳어 버렸다.

"내 말 아이 들리니?"

"……죄송함다."

"좋은 날 기분 망치지 말라. 니 그러다 개밥 된다."

"죄, 죄송함다!"

하얗게 질린 사내는 다급히 무릎을 꿇었고, 양탁락은 리동수에게 입을 열었다.

"내 일행이 실례 많았다. 가서 일 보라."

"감사합네다. 계시는 동안 양주는 계속 저기서 따라 드시면 됩네다."

그렇게 다시 게임이 시작됐지만, 방금 전과 달리 분위기가 꽤 가라앉았다. 그리고 그걸 지켜보던 리동수는 가소롭다는 듯 웃으며 소매를 입에 가져갔다.

"분위기 됐다우. 확률 조작하라. 머리가 우리 린민의 산처럼 아무것도 없는 놈이 앉은 8번 포함해서 여덟 놈만."

쏴아아아!

"후우."

화장실 안, 방금 전 컵에 맞아 피범벅이 된 얼굴을 대충 씻은 사내는 거울을 보며 뜨거운 숨을 뱉어 냈다.

그런 그에게 대변기 칸에서 나온 동료가 혀를 찼다.

"니 어찌 그랬니. 미친 거이니?"

감히 양탁락에게 반항을 하다니. 정말 개밥이 될 뻔했다.

"탁락 형님 좀 어떠니?"

"좋겠니? 분위기 다 잡쳤다."

양탁락 옆에 있던 놈이 양탁락의 말을 듣지 못한 게 컸다.

"미안하다. 술 먹어서 그랬다."

"그래 보인다."

술을 얼마나 마셨는지 얼굴이 금방이라도 터질 듯하고, 초점이 풀린 눈은 끔뻑끔뻑 느릿하게 깜빡였다.

"알았다. 게임이나 해라."

"어디 가게?"

"돈 바꾸러 간다."

"돈은 있니?"

손을 저은 사내는 PY 게임센터 건물을 빠져나와 담배를 물며 위층을 응시했다.

술기운에 무거워진 그의 눈에 살기가 맺히기 시작했다.

"대가리를 도끼로 쪼개도 시원찮을 놈."

정말 언젠가 꼭 자고 있는 양탁락의 머리를 도끼로 쪼개 버릴 것이다.

"카악, 퉤!"

다 핀 담배를 던진 그는 안으로 들어가다가 멈췄다.

지금 올라가 봤자 다시 양탁락의 심기만 거스를 터.

한숨을 내쉰 그는 1층의 게임이나 하기 위해 주머니를 뒤졌다.

"음? 뭐니. 벌써 다 쓴 거이니?"

오늘 하루 놀라며 양탁락이 준 15만 원의 용돈.

주머니 여기저기를 만져 보던 그는 난처한 표정을 지었다.

그러다 점퍼 안주머니에 걸리는 게 있어 빼낸 사내는 손에 들린 5천 원에 기뻐하는 한편 고개를 모로 기울였다.

이게 왜 여기 있을까.

그것도 빳빳한 새 돈이 말이다.

"……뭐 사 먹고 넣은 돈이겠지."

생각나지도 않고, 술기운 때문인지 생각하기도 귀찮았다.

"어이, 환전원. 바꿔라. 5천 원은 여기서 바꾸는 거 맞지?"

"네? 아, 네네!"

차라락 백 원짜리를 받아 든 사내는 아무 게임기나 앉

았고, 몇 번 삐용삐용 버튼을 누르다 결국 취기를 이기지 못해 고개를 푹 숙였다.

*　*　*

콰앙!
게임기를 걷어차며 몸을 일으킨 양탁락은 씩씩거렸다.
"어이, 점장! 이게 뭐이니!"
"무, 무슨 문제 있습네까?"
"이거 왜 갑자기 아이 되는 거이니!"
무려 80만 원이 빨렸다. 그것도 고작 30분도 안 돼서.
그동안 상품권 한 장은커녕 그림이 맞지도 않았다. 아무리 풀로 베팅했다지만 이건 아니었다.
양탁락은 놀라 다가온 리동수를 향해 이를 드러냈다.
"너 지금 나하고 장난치니?"
짜증과 살의로 번들거리는 양탁락의 풀린 눈.
콧속을 지독하게 파고드는 술과 담배 찌든 냄새에 리동수는 억지로 웃었다.
"그럴 리가 있겠습네까. 딸 때가 있으믄 잃을 때도……."
리동수는 어느새 목에 닿은 손도끼에 입을 다물었다.
"니가 해 봐라. 장난치나 안 치나 내 함 봐야겠다."
"왜, 왜 이러십네까. 정말……."
지이잉! 지이잉!

"……일단 앉아라. 만 원 안에 상품권 나오면 넌 사기 쳤으니 그 손목 잘리고, 만약 안 나오면 이딴 걸 가져다 둔 죄로 오늘 여긴 불탄다."

패거리에게 고개를 까딱인 양탁락은 전화를 받았고, 양탁락만큼은 아니어도 돈이 쭉 빨린 똘마니들이 눈을 붉히며 일어섰다.

무한히 공급된 양주에 취한 그들은 순간 서로 모른 척을 해야 된다는 것도 잊고 있었다.

"누구니?"

–어디니? 왜 아무도 없니.

"……죄송함다. 오락실임다.

–재밌나 보구나.

"내일 함께 오심이 어떻슴까. 여기 정말 죽임다."

–사고는 안 쳤니?

칠 뻔했다.

정신이 번쩍 든 양탁락은 손을 저었다.

"조용히 놀았슴다. 지금 들어가겠슴다."

–자라. 4시다.

통화가 끊긴 핸드폰을 수습한 양탁락은 리동수를 위아래로 훑어봤다.

"운 좋다. 가자."

"아, 저기!"

리동수는 양탁락이 걷어찬 게임기를 가리켰다.

"부서졌습네다. 수리비는……."

"하. 어이, 정말 죽고 싶니? 확 그어 주까."

"……미, 미안합네다. 그냥 가시라요."

양탁락은 손도끼를 갈무리하며 계단으로 향했고, 그에 양탁락과 함께 왔던 이들이 재빨리 뒤를 따랐다.

그리고 다른 이들도 1, 2분 시간 차이를 두며 게임센터를 빠져나갔고, 3층의 창문을 연 채 그걸 보던 리동수는 입술을 비틀었다.

"아주 동무들이라고 광고를 하는구나야."

"조장 동지."

코웃음을 치던 그는 다가온 요원의 붉어진 눈을 보고 핸드폰을 들었다.

"어, 종혁 동지. 일어났네?"

―아직 술자린데, 왜요?

"여긴 명분 쌓았어. 결시일 잡자."

―……지금 가죠.

통화를 종료한 리동수는 요원을 봤고, 하찮은 깡패나 부랭이 따위가 감히 정찰총국 조장에게 도끼를 들이미는 걸 뻔히 지켜봐야 해서 열이 머리끝까지 올랐던 요원은 살벌하게 웃으며 고개를 숙였다.

리동수는 담배를 물었다.

'망치가 좋갔디?'

칼이나 총은 너무 심심했다.

리동수는 내일 아침이 되면 망치부터 사야겠다고 다짐했다.

* * *

오픈한 날에 명분을 쌓았단 말에 술자리를 파하고 달려왔던 종혁은 사정을 듣고 헛웃음을 터트렸다.

타이밍이 맞아도 이렇게 맞을 수 있을까.

'그런데 다 같이 왔다라…….'

그동안 주위 주민들에게도 함께 다니는 모습을 보이지 않았던 놈들이 한 공간 안에 모였다.

그 숫자도 숫자지만, 그럴 만한 이유가 의심이 됐다.

'설마 회식인가?'

만약 짐작이 맞다면 일이 복잡해진다. 보통 회식이라면 큰일을 마쳤을 때 하는 것이니까.

그렇다면 저 공장에 위조지폐가 없을 확률이 높았다.

"혹시 이놈도 왔던가요?"

종혁은 다급히 블랙박스에서 추출한 장발 사내의 사진을 보여 줬다.

"이런 놈도 있었네?"

"저놈들의 대가리로 추정되죠."

사진을 뚫어져라 쳐다보던 리동수가 눈을 빛냈다.

"그럼 내일 올 수도 있을 기야. 그렇게 통화하는 거 들었다."

"그래요?"

그럼 지폐 위조가 오늘 막 성공해서 회식을 한 것일 확률이 컸다.

다행히 한시름 놨지만, 그래도 지폐가 완성됐다면 시중에 풀리는 건 정말 시간문제이기에 종혁은 마음이 급해졌다.

"곧 날짜 잡을게요."

"아, 종혁 동지. 우리가 많이 참을 순 없을 기야."

우린 짐승이라는 듯 살벌하게 노려보는 정찰총국 요원들의 눈빛에 종혁은 어쩔 수 없다는 듯 고개를 끄덕였다.

나는 새도 떨어트리는 정찰총국의 조장이 모욕을 당했다. 아마 며칠 잡아 두지 못할 것이다.

"후우. 부디 이제야 막 완성……."

"팀장님!"

"음?"

"여기요. 오늘 수익입니다."

"아, 그래. 최 경장도 수고했어. 응? 구권이 제법 있네?"

"구권 쓰는 사람이 많더라고요."

"하긴……."

신권 발매가 시작된 지 한 달도 채 지나지 않은 상황이다. 아직은 구권을 가지고 있을 확률이 컸다.

"알았어. 수고해. 아, 교환해 줄 잔돈은 있고?"

"천 원짜리는 따로 빼 놨으니까 괜찮습니다!"

고개를 끄덕인 종혁은 택시를 타고 집으로 향했다.

"푸후!"

침대에 주저앉은 종혁은 옆에 내려놓은 만 원과 5천 원이 담긴 종이백을 응시하다가 한숨을 쉬며 몸을 일으켰다.

"그렇게 멍청한 놈은 없을 테지만……."

어떤 바보가 자기들 아지트 근처에서 위조지폐를 쓸까.

그래도 혹시 모르는 일이기에 책상에 놔둔 휴대용 감식기를 가져온 종혁은 5천 원짜리 지폐에 불빛을 드리웠다.

그리고 잠시 후…….

"큭큭큭."

나란히 놓인 5천 원짜리 구권 3장을 보는 종혁이 몸을 들썩였다.

"멍청한 놈들 맞네."

위조지폐는 이미 찍히고 있었다.

그것도 회귀 전 살핀 것과 달리 촉감과 냄새 등 위화감이 전혀 없었고, 결정적으로 일련번호도 죄다 달랐다.

회귀 전 정문철을 검거할 수 있었던 결정적인 이유인 77246의 똑같은 일련번호. 소심한 위조지폐범 정문철은 그토록 허술한 인간이었다.

그런데 이건 달랐다. 예상대로 놈들은 슈퍼노트를 만들고 있었다.

아니, 이미 완성되었다.

‘이게 시중에 대량으로 유통된다면?’

차라리 국내라면 낫다.

그런데 이게 만약 해외에서 유통이 된다면?

종혁의 두 눈에 다급함이 서리기 시작했다.

“리 조장, 난데요. 그냥 오늘 날짜 잡죠. 오후 3시. 네. 그때 보죠.”

전화를 끊은 종혁은 증거물 봉투를 가져와 구권 3장을 조심히 담았다.

이쪽도 명분이 생겼다.

아니, 이젠 명분 따윈 상관없었다. 어떻게든 놈들의 공장 안으로 들어가야 했다.

* * *

“드르렁!”

“커어어!”

코골이 소리들이 하모니를 이루듯 울리는 좁은 방.

쿵!

이리저리 뒤척이다 침대에서 떨어진 한 사내가 느릿하게 상체를 일으킨다.

“무울.”

흐느적 일어나 문을 열고 나간 사내는 옆에 있는 공용 화장실로 들어가 세면대에 얼굴을 박았다.

꿀꺽꿀꺽!

"어으으."

이제야 타는 듯한 갈증이 가신 사내는 고개를 들었다가 퉁퉁 붓은 코에 깜짝 놀랐다. 그제야 어젯밤의 기억이 그의 머릿속에 떠올랐다.

"하아. 이 미친 새끼."

꼬르륵!

정말 미친 게 틀림없다. 이 와중에도 배가 고픈 것을 보면 말이다.

그는 머리를 긁으며 계단을 내려와 공장 밖으로 나갔다. 그러자 타는 냄새가 그를 반겼다.

타닥, 타닥!

공장 앞마당 한구석에서 타오르는 잘린 드럼통.

"뭐 태우니?"

"이제 일어났니? 돈 태운다."

"돈? ……돈!"

사내는 눈을 부릅떴다.

"뭐, 뭐이니!"

타오르는 드럼통 앞에 앉아 불이 붙은 5천 원짜리로 담뱃불을 붙이던 동료가 벌렁 뒤로 넘어갔지만 사내는 신경 쓸 겨를이 없었다.

어젯밤 점퍼 안주머니에 남아 있던 5천 원이 어떤 것인지 생각났기 때문이다.

'이, 이 미친 새끼! 멍청한 새끼!'

큰형님이 절대 밖으로 유출하지 말라던 위조지폐.

눈앞의 동료처럼 담뱃불용으로 가지고 다니던 것이었다. 옛 홍콩 영화의 등장인물처럼 폼나게 말이다.

“아, 아니다. 그보다 탁락 형님과 큰형님은 어디 계시니.”

“탁락 형님은 중국 가는 애들 배웅 나갔고, 큰형님은 화가 선생이랑 콧바람 마시러 나갔다.”

어젯밤 큰 거래가 있었는데도 1차만 마시고 돌아온 화가 선생.

“그러고 보면 화가 선생도 참 술이 약한…….”

“아, 알았다. 나 나갔다 온다.”

‘회수해야 된다!’

그때였다.

“흡?!”

“악!”

등 뒤에서 들려온 목소리에 고개를 돌린 사내는 드럼통을 바라보며 놀란 두 명을 보곤 바로 눈치를 챘다. 그들도 자신과 같은 실수를 저질렀다는 것을.

그리고 그건 그 두 명도 마찬가지였다.

“니들은 또 뭐이니?”

“아, 아님다. 식사하셨슴까?”

“먹었다. 너희도 먹고 오라.”

“알겠슴다.”

서로를 본 셋은 고개를 끄덕이며 다급히 공장을 나섰다.

그 순간이었다.
“뭐이니. 어디 가니?”
덜컥 심장이 내려앉는다는 게 이런 느낌일까.
가만히 쳐다보는 장발 사내, 큰형님의 눈빛에 오금이 저려 왔다.
사내는 힘들게 입을 열었다.
“시, 식사하셨슴까.”
“시간이 몇신데 안 먹었겠니. 지금 먹고 오는 길이다. 너흰 먹었니?”
“이, 이제 먹으러 감다.”
“대충 속만 풀어라. 곧 저녁 때다.”
“아, 알겠슴다.”
고개를 꾸벅 숙인 셋은 장발 사내와 화가를 지나쳤다.
“아, 잠깐.”
“흡?! 예, 예?”
설마 들킨 걸까. 셋의 심장이 쪼그라든다.
“뭘 그리 놀라니. 이걸로 사 먹어라. 하찮게 편의점 가지 말고 든든하게 탕으로 먹어라.”
“가, 감사함다!”
“그래. 가라.”
손을 저은 장발 사내는 옆의 화가를 봤다.
“화가 선생, 이제 어쩔 것 같소. 기계만 구하면 되는 거이오?”
“대충 가닥을 잡았으니…….”

그렇게 안으로 들어가는 둘의 모습을 보며 가슴을 쓸어내린 셋은 공장을 빠져나가려다 또다시 몸을 멈춰야 했다.

"저건 또 뭐이니."

새까만 양복을 입은 8명이 망치 따위를 든 채 골목 안으로 들어오고 있었다.

"……오락실?"

긴장했었던 사내는 한숨을 탁 내쉬었다.

"하아. 지금 뭐하자는 거이니?"

"뭐일 것 같네?"

"……됐다. 그거 내려놓으라. 그러다 죽는다."

"아, 이거 말이네?"

리동수는 손에 쥔 망치를 보며 피식 웃었다.

그리고…….

휙! 빠아악!

'어?'

방금 무슨 일이 일어난 것일까.

사내는 그 생각을 마지막으로 정신을 잃었고, 리동수는 당황하는 두 명을 보며 입술을 비틀었다.

"니, 니 지금……."

"돈 받으러 왔다. 너희들이 부순 기계값 천만 원."

둘의 얼굴이 와락 구겨졌다.

"다 나오라! 습격이다-!"

"습격?!"

"뭔!?"

우당탕탕! 우르르!

"무슨 일이니!"

달려 나온 삼십여 명은 정찰총국 요원들과 그 앞에 쓰러져 있는 동료를 보고 어이없다는 듯 웃었다.

"뭐야, 오락실이니?"

"어제 탁락 형님이 부순 기계값 받으러 왔단다."

"하…… 이 개밥으로 만들 새끼들. 아이 그래도 어제 술 때문에 골통이 깨질 것 같은데 별게 다 와서 귀찮게 하는구나."

스륵.

선두에 선 사내가 칼을 꺼내 들자 다른 이들도 혀를 차며 도끼나 칼을 꺼내 들었다.

분위기가 삽시간에 흉흉해졌지만 리동수는 오히려 킬킬 웃었다.

"정찰총국."

순간 눈에서 감정이 사라져 버린 리동수는 담배를 물었다.

"예, 조장 동지."

"다 죽이라."

"예!"

어젯밤 무리의 대장이 모욕을 당했는데도 참아야 했던 맹수들.

고삐가 풀린 맹수들은 야성이 가득한 이빨을 보이며 놈

들을 향해 몸을 날렸다.
"다 죽이랍신다!"
"쳐, 쳐라!"
"와아아아아!"

* * *

"후우우."
희뿌연 담배 연기가 PY 게임센터 옥상에서 흩어진다.
"빡빡이는요?"
―어, 지금 그쪽으로 가고 있다. 거의 도착했어.
"알겠습니다. 조심히 오세요."
전화를 끊은 종혁은 옥상에 몰려 있는 정찰총국 요원들을 봤다. 그들은 종혁이 나눠 준 방탄복을 입으며 당황하고 있었다.
리동수가 혀를 내두르며 다가왔다.
"이야, 역시 미제는 달라도 다르구나야."
가벼우면서 얇다. 위에 옷을 입으니 티가 잘 나지도 않는다.
그들이 사용하는 두껍고 무거운 방탄복과는 차원이 다른 물건이었다.
"SVR에서 개발한 겁니다."
"로씨아 거였네?! 역시 로씨아…… 대단하구나야."
깜짝 놀랐던 다른 정찰총국 요원들도 감탄을 하며 방탄

복을 만지작거린다.

“우리 공화국도 어서 이런 걸 개발해야 할 거인디…….”

“알았어요. 갈 때 그것도 챙겨 줄게요. 됐죠?”

“혹시 내가 이 말 한 적 있네? 사랑한다, 동무.”

‘에라이.’

고개를 저은 종혁은 방탄복을 처음 입는 것인지 낑낑거리는 최재수를 향해 손을 까딱였다.

“예!”

“여길 단단하게 당겨서 붙여야 하는 거야. 안 그러면 여기로 칼 들어온다. 중경에서 안 배웠어?”

“흡!

종혁의 다정한 손길에 순간 최재수는 깜짝 놀랐다. 처음으로 받아 보는 따뜻한 손길에 그는 정신을 차릴 수 없었다.

“죄, 죄송합니다. 몇 번 입어 보지 못해서…….”

“아, 그렇긴 하겠네.”

경찰대학교처럼 4년간 전문적으로 교육을 하는 곳이 아니고, 겨우 8개월 교육시키는 곳이다. 아무래도 교육의 질이 떨어질 수밖에 없었다.

콱, 콱!

“됐다.”

“가, 감사합니다!”

종혁은 무슨 일인지 눈이 크게 흔들리는 최재수의 모습에 의아해하다가 이내 낯빛을 굳혔다.

"최 경장, 아니 최재수."

"……예, 팀장님."

"여차하면 물러나. 아니, 차라리 엎드려."

"예?"

지금까지 최재수와 한 팀이 되어 해결한 사건 중 목숨까지 위험했던 사건은 없었다. 날붙이와 각목이 휘둘러지고, 돌이 날아다닌 적은 있지만 그래도 목숨까지 위험하진 않았다.

그러나 이번 상대는 조선족 깡패들이다.

감당할 수 없는 사이즈까지는 일을 키우지 않으려고 조심하는 한국 조폭들과는 달리 선이라는 게 없는 놈들.

여차하면 진짜 목숨을 빼앗으려고 달려들지도 몰랐다.

"네 목숨은 네가 지키는 거다. 누가 널 지켜 줄 수는 없어."

눈치 없고 뺀질거려도 그래도 할 땐 해 주는 최재수. 일이 잘못되어 잃고 싶진 않았다.

'나보고 너한테 절하게 만들지 마라.'

다신 그러고 싶지 않았다.

그런 종혁의 마음이 전해진 것인지 최재수는 이를 악물며 주먹을 쥐었다.

"예, 알겠습니다. 걱정 마십시오."

"그래. 긴장 풀고."

최재수의 가슴을 두드리며 미소를 지은 종혁은 힐끗 옥상 너머를 봤다가 눈을 빛냈다.

“대가리로 추정되는 놈과 리 조장이 찾는 놈이 들어가네요.”

“……그래. 얼마나 돼지처럼 처먹었는지 살이 포동포동 하구나야. 배때기를 갈라 심지를 꽂으면 10일은 족히 타갔어.”

공화국에게 큰 피해를 입힌 적도. 인민의 적의 얼굴에서 개기름이 흐른다. 리동수의 눈이 처형자의 무심한 그것으로 바뀌기 시작했다.

싸늘한 냉기가 그의 몸에서 스멀스멀 흘러나오자 종혁도 이를 드러냈다.

“시작합시다.”

“천천히 와라. 남조선 아새끼가 보기엔 좀 험한 거이야. 가자.”

“명심해요. 10분입니다.”

콧방귀를 뀐 리동수는 몸을 돌렸고, 정찰총국 요원들은 리동수의 뒤를 따라 옥상을 내려가기 시작했다.

그리고 몇 분의 시간이 흐른 후.

“이 개새끼들이-!”

택시에서 내린 양탁락이 기겁하며 안으로 달려가는 것까지 본 종혁은 핸드폰을 들었다.

“예, 수고하십니다. 본청 특별수사팀의 최종혁 경감…… 아, 예. 전에 보셨죠? 지금 조선족들끼리 패싸움이 벌어질 것 같아서 연락드렸는데요. 한 40명쯤 되네요. 네, 네. 단단히 준비하시고 오는 게 좋을 겁니다. 예,

수고하세요."

그렇게 전화를 끊은 종혁은 앞에 놓인 커다란 기계의 버튼을 눌렀다.

그 순간…….

찌이이잉!

일대에 재밍이 펼쳐졌다.

이로써 유선을 제외한 모든 무선통신은 먹통. 혹여 놈들에게 다른 패거리가 있더라도 안심이었다.

"우리도 가자."

"예……!"

* * *

서로 무기를 든 36 대 8.

당연히 36명이 유리한 상황이어야 했다.

하지만…….

"으악!"

"컥!"

울대, 어깨, 턱, 인중, 무릎, 옆구리.

망치가 한 방 한 방 급소를 노리며 날아들었고, 순식간에 26명이 누웠다.

이들은 살인 병기였다.

"이, 이놈들 뭔가 이상함다! 칼이 안 들어감다!"

"그게 말이 되니! 더 불러오라!"

“이게 다임다!”

그들은 큰형님을 찾아 고개를 돌렸다.

그건 잠시 소강상태에 접어들자 숨을 고른 리동수도 마찬가지였다.

‘어디 있네, 조동철이.’

리동수의 눈이 빠르게 건물 안쪽을 살피는 순간이었다.

“이 개새끼들이!”

갑자기 양탁락이 나타나자 패색이 역력하던 놈들의 얼굴이 환하게 핀다.

“탁락 형님! 너흰 이제 죽었다!”

공장 앞마당을 주욱 둘러본 양탁락은 손도끼를 꺼내 들며 살의를 번들거렸다.

“너희는 뭐이…… 오락실? 설마 수리비 받으러 온 거이니?”

“그래, 네가 있었디.”

“조장 동지.”

“됐다.”

다른 놈들은 몰라도 이놈은 자신의 것이었다.

손을 저은 리동수는 앞으로 나섰고, 양탁락은 어이없다는 듯 웃다가 얼굴을 구겼다.

“개밥으로 만들어 주마! 이야아아아!”

리동수는 머리를 쪼개려는 도끼에 피식 웃으며 망치를 휘둘렀다.

뻑!

손목 안쪽을 맞은 팔이 튕겨져 나가고, 얼이 빠진 양탁락의 옆구리에 망치가 작렬한다.

빠아악!

"컥?!"

순간 틀어막힌 숨통.

옆구리를 잡으며 무너지는 양탁락은 깨달았다.

'혀, 형님.'

공장 건물 입구, 이제야 담배를 물며 느긋이 나오는 큰 형님을 발견한 양탁락은 간절한 표정을 지었다.

'도, 도망치십쇼. 보통 놈들이 아입다.'

맞아 보니 알겠다. 전문적으로 배운 놈들이다.

히트맨 아니면 공안. 흑룡강성에서 그들을 잡기 위해 저승사자들이 왔다.

"어딜 보네? 아, 저기 나오네? 잡으라."

"예, 조장 동지."

요원들은 아직 서 있는 이들을 향해 다가갔고, 리동수는 양탁락의 망치를 들었다.

"어제 감히 내 용안을 만진 게 이 팔이었지. 이것부터 못 쓰게……."

퍼억!

"윽?!"

리동수는 망치를 든 채 뒤를 돌아봤다.

요원 한 명이 팔뚝에 칼이 꽂힌 채 주춤 물러서고 있었다.

"하아."

무려 정찰총국 요원이 별것도 아닌 깡패에게 칼을 맞았다.

'종혁 동지가 보고 있을 건데…….'

"넌 돌아가면 나랑 얼굴 좀 보자우."

리동수는 하얗게 질리는 요원을 무시했고, 다른 칼을 꺼내 든 장발 사내는 불이 붙은 대마초를 입에 물며 나른히 웃었다.

"어디서 왔니? 아니, 됐다. 얼빠진 아들은 그만 괴롭히고 나랑 놀자."

리동수는 어이없다는 듯 웃었다.

그때였다.

삐요요요용! 삐용 삐용!

'벌써?'

약속과 다르다.

리동수는 기겁하며 고개를 돌렸다.

"……쯧."

장발 사내는 몸을 돌렸다.

경찰에 잡혀서는 곤란했다.

* * *

"크. 예술이네."

사타구니를 맞고 정신을 잃은 놈, 무릎이나 옆구리를

얻어맞고 바닥을 기는 놈, 전의를 잃은 놈…….

전문적으로 살인 기술을 배운 요원들이라서 그런지 정찰총국 요원들은 급소를 망설임 없이 후려쳤고, 때문에 놈들이 제압이 되는 건 순식간이었다.

"야, 저놈들과 국정원이 붙으면 누가 이길까?"

"국정원이요."

'누가 가르쳤는데?'

제아무리 기술이 좋다고하더라도 피지컬에서 차이가 나면 의미가 없었다.

"오 경감님이랑 최 경장은 뒷문 막아요."

"예."

"다치지 마세요."

오택수와 최재수가 몸을 날리자 종혁은 담배를 물었다.

"이제 슬슬 도착할 때가 됐는데……."

상황도 거의 끝나 가고 있다.

삐요요요용!

"타이밍 예술이네."

종혁은 마치 들판을 호령하는 사자처럼 느긋이 공장 안으로 들어갔다.

"오케이. 거기까지. 타임 리미트."

"종혁 동무, 너……."

분명 조동철을 먼저 확보할 수 있게 해 준다고 했다.

"말했잖아요. 10분이라고. 그 안에 확보 못한 건 당신들이야.”

“이 간나 새끼…….”

리동수는 이를 악물며 종혁을 노려봤지만, 종혁은 근처에서 리동수를 피해 물러서는 양탁락의 뒷목을 잡아 들어 올렸다.

“야, 빡빡아. 니들 두목 어디 있냐?”

“너, 넌 또 뭐이니.”

“뭐긴 뭐겠어. 한국 짭새지.”

양탁락은 눈을 부릅뜨며 입을 다물었지만 이미 늦었다. 종혁은 두목이란 말에 양탁락의 눈이 움직이는 걸 이미 확인한 뒤였다.

빠억!

턱을 돌려 정신을 잃게 만든 종혁은 몸을 일으켰다.

“저긴가?”

삐요오오옹!

“뭐해요? 일단 몸부터 빼야지 않겠어요?”

“……나중에 보자.”

“예, 예. 그럼 수고해요.”

입술을 깨문 리동수는 재빨리 몸을 뺐고, 종혁은 입술을 깨물며 발을 굴렀다. 왜인지 갑자기 불길한 느낌이 들었다.

‘제발, 빨리.’

그런 종혁의 마음이 닿은 것인지 그 순간 경찰차들이 공장 안으로 난입했다.

'왔다!'

"꼼짝……."

"특별수사 1팀장 최종혁 경감입니다! 이놈들 일단 모두 잡아 놓으세요!"

'늦은 게 아니길!'

종혁은 대답도 듣지 않고 뒤로 몸을 날렸다.

남겨진 경찰들은 지옥이 따로 없는 광경에 입을 떡 벌렸다.

* * *

"쯧."

하필이면 경찰이라니.

잡히면 곤란해지는 정도로 끝나지 않기에 어쩔 수 없이 몸을 뺀 장발 사내는 두고 온 양탁락을 떠올리며 혀를 찼다.

'괜찮다. 상관없다.'

이미 범죄에 대한 증거는 모두 인멸한 상황인 데다가 그가 알기로 한국 경찰은 패싸움 정도로 공장을 뒤질 수 없다.

혹여 공장을 뒤진다고 해도 남은 건 원단 쪼가리뿐. 바닥에 마약 알갱이 몇 개가 뿌려져 있겠지만 고작 그걸로 어떻게 마약인 줄 알까.

신원 조회를 당한 오른팔 양탁락은 중국으로 넘겨질 테

지만, 자신만은 살 수 있었다.

"화가 양반, 얼른 오시오."

"예, 예!"

'이 그림쟁이만 있으면 얼마든지 재기할 수 있지.'

"제대로 챙겼소?"

"예."

조동철은 품에 끌어안고 있는 컴퓨터 본체를 두드렸고, 장발 사내는 고개를 끄덕이며 추적에 혼선을 두고자 공장 뒷문을 닫았다.

"갑시다."

"어, 어디로 가는 겁네까?"

"일단 인천 공장으로 넘어가 상황을 지켜보다가 동남아로 밀항을 할 거요."

"그, 그리고 다시 돌아오는 겁네까?"

"당연히 그래…… 쉿!"

장발 사내는 조동철의 입을 틀어막으며 옆 골목으로 몸을 날렸다.

그리고 잠시 후.

타다다닥!

"후욱! 훅! 분명 여긴데. 어디에…… 오 경감님, 이놈들 아직 안 나온 것 같습니다."

"하악! 학! 알았어. 그래도 조심해. 이 새끼들 칼 함부로 휘두른다."

'한국 공안? 둘?'

귀를 기울여 봤지만 더 다가오는 기척은 없다.
겨우 둘. 충분히 해볼 만했다.
'이놈들부터 치우고 간다.'
장발 사내는 마침 자신들이 숨은 골목 앞을 지나다 이쪽을 향해 고개를 돌리는 키 큰 멀대를 향해 칼을 내질렀다.

"허억! 헉!"
최재수는 정말 전력을 다해 달렸다.
종혁이 믿고 맡긴 일. 실망을 끼칠 순 없었다.
"가, 같이 가, 이 새꺄!"
"흑! 훅! 그러게 러닝머신 좀 뛰라니까!"
"저 새끼가?"
'흐흐. 이겼다.'
오택수에게 이긴 게 생기자 입가에 미소가 번진 최재수는 더 힘차게 땅을 박찼고, 오택수는 등짝으로 환하게 웃는 최재수의 모습에 어이없다는 듯 웃었다.
그렇게 달린 둘은 곧 며칠 전 은밀히 찾아와 발견한 공장의 뒷문을 눈에 담을 수 있었다.
그때처럼 잠기지 않은 채 살짝 열려 있는 쪽문.
주변을 둘러보며 숨을 고른 둘은 천천히 쪽문을 향해 다가갔다.
"진짜 조심해."
"에이, 걱정 마세요. 한두 번 출동하는 것도 아니고. 거기다 이것도 있잖아요."

셔츠 속 방탄복을 두드리는 최재수의 모습에 오택수는 얼굴을 와락 일그러트렸다.

"야, 이 병신 새끼야. 닥치고 긴장해. 그게 얼마나 네 목숨을……."

섬뜩!

말을 하다 만 오택수는 본능이 외치는 대로 최재수를 향해 몸을 날렸다.

"최재수!"

"예?"

푸욱!

"어?"

뭔가가 허벅지를 파고들었다.

고개를 밑으로 내린 최재수는 허벅지에서 뽑혀 나오며 목을 향해 날아오는 날붙이에 고개를 모로 기울였다.

'이게…… 칼? 아, 나 죽는구나.'

최재수는 목에 닿는 차갑고도 뜨거운 감촉에 허탈히 웃었다.

'씨발. 여자랑 손도 못 잡아 봤는데……. 미안, 할머니. 죄송합니다, 팀장님.'

슬퍼할 그들을 떠올리자 왈칵 눈물이 솟았다.

"최재수-!"

최재수가 포기하고, 오택수가 그런 최재수를 걷어차는 그 순간이었다.

콰득!

'어?'

죽음을 받아들이던 최재수도, 장발 사내도 괴상한 소리에 고개를 돌렸다.

두 눈이 차갑다 못해 얼어붙은 종혁. 그곳엔 장발 사내의 손목을 잡은 종혁이 있었다.

"야, 내 새끼한테 뭐하는 짓이냐?"

우득. 우드득!

바이스로 손목을 죄는 것처럼 손목뼈가 괴상한 소리를 내며 우그러든다.

"악……! 아아악! 놔, 놔라! 놔-!"

"뭐하는 거냐고 묻잖아, 새끼야."

콰직!

얼굴을 뭉개 버린 종혁은 그대로 팔을 꺾어 버렸다.

콰드득!

꺾이지 말아야 할 방향으로 꺾인 팔.

"크아아아아악! 차오니마!"

입을 떡 벌린 장발 사내는 종혁을 향해 이를 들이밀었다.

뻐어억!

"씨발놈이 뭐래. 어이, 최재수. 괜찮아? 살아 있냐?"

"예? 네! 사, 살았습니다!"

"그럼 됐다. 야, 거기 환쟁이. 이리 와. 이리 와, 새끼야."

장발 사내를 집어 던진 종혁은 조동철에게 다가갔다.
조동철은 본체를 더 꼭 끌어안으며 오들오들 떨었다.

* * *

삐용삐용!
"여기 좀 도와줘요!"
"크악! 놔!"
"조용히 해, 새끼야!"
개판이 따로 없는 공장.
여기저기 피가 튀고, 뼈가 부러진 참혹한 광경에 가리봉파출소의 경찰들은 정신을 차리지 못했다.
그나마 연차가 많은 경찰들은 무덤덤했지만, 경사 이하의 경찰들은 하얗게 질려 어쩔 줄 몰라 했다. 그중에는 최재수의 동기인 여순경도 있었다.
"야, 최재수!"
흠칫 놀라 고개를 돌린 여순경은 들것에 실려 오는 최재수를 보곤 입을 떡 벌렸다.
허벅지가 피투성이가 되어 있는 데도 웃고 있는 동기.
"이 새끼는 뭐 잘했다고 처웃고 있지? 내가 씨발 조심하라고 했냐, 안 했냐."
찰싹! 찰싹!
오택수가 종혁을 보며 실실 웃는 최재수의 이마를 때린다.

"아, 진짜! 나 환자라고요!"

"그래. 환자 된 김에 그냥 아예 죽자, 이 새끼야."

"켁?! 케에엑!"

심장이 떨어질 뻔한 오택수는 최재수의 목을 졸랐고, 그렇게 투덕거리는 둘을 본 종혁은 속으로 긴 한숨을 뱉어 냈다.

'다행이네.'

난생처음으로 죽을 위기를 겪은 최재수. 그럼에도 이렇게 웃는 걸 보니 크게 걱정하진 않아도 될 거 같아서 다행이었다.

"팀장님."

"왜."

"분명 저한테 내 새끼라고 했습니다."

흠칫!

"……잘못 들었겠지."

"흐흐흐."

'부끄러워하기는.'

고개를 돌리는 종혁을 보니 웃음밖에 안 나온다.

'드디어 완전히 인정받았다.'

가슴이 뻐근해질만큼 충족감이 들었다.

그래서인지 방금 전 죽을 뻔했던 경험을 다시 떠올려도 그리 무섭지 않았다. 철렁 내려앉은 심장은 그렇지 않다고 말하는데도 말이다.

"응?"

최재수와 동시에 이쪽으로 다가오는 여순경을 발견한 종혁은 오택수를 툭 치며 물러났고, 최재수는 낯빛을 굳혔다.

하지만 이내 한숨을 내쉬었다.

“재수야…… 나, 난…….”

후회에 잠긴 동기를 보고 무슨 말을 할 수 있을까.

“가. 현장 수습해. 그것도 경찰이 할 일이야.”

눈치를 본 구급대원은 최재수를 앰뷸런스 안에 실었고, 여순경은 그런 최재수를 망연자실 쳐다봤다.

그런 여순경을 힐끔 보고 구급대원에게 다가간 종혁은 입을 열었다.

“근처 대학병원에 예약해 놨으니까 그쪽으로 가시면 될 겁니다. 그보다 괜찮은 거 맞죠?”

“현재 환부 출혈량으로 봤을 땐 다행히 큰 혈관들을 비껴간 것 같습니다. 천만다행이죠.”

“예. 그럼 수고해 주십시오. 오 경감님도 함께 따라가 주세요. 저도 여기 수습되면 따라갈 테니까.”

“그래, 알았어.”

비록 지금은 웃고 있을지라도 혼자 남겨지면 어떻게 될지 모른다. 트라우마를 케어해 줄 동료가 필요했다. 그게 파트너의 역할이었다.

출발하는 구급차를 보던 종혁은 담배를 물었고, 그런 그에게 조주환 형사가 다가왔다.

“최 팀장, 음…….”

흉기가 날아다닌 패싸움이다.

관할서에서 담당해야 되는 게 맞는데, 신고를 한 사람이 본청 형사인 종혁이고 또 다친 사람도 본청 형사다 보니 쉽게 입이 떨어지지 않았다.

그런 그의 모습에 종혁은 씁쓸히 웃었다.

종혁이라고 왜 절차를 모를까.

하지만…….

"히이익! 소, 손가락! 여, 여기 사람 뼈가 발견 됐습니다!"

움찔!

'결국 죽었나.'

가슴이 답답해진 종혁은 다급히 현장을 향해 고개를 돌리는 그를 보며 담배 연기를 뱉었다.

"죄송합니다. 현 시각부로 이번 사건 현장은 본청 간편신고관리과 특별수사 1팀이 통제하겠습니다."

"아니, 최 팀장!"

입을 다문 종혁은 조주환을 무시하며 뼈가 발견된 곳으로 향했다. 개들의 개껌이 된 듯 여기저기 이빨 자국이 있는 뼈.

'멍청한 새끼. 왜 지폐를 위조해서는……. 범죄에 유혹만 되지 않았어도 이렇게 죽지는 않았을 텐데…….'

혀를 찬 종혁은 하늘을 응시했다.

'이제 끝난 건가.'

두목으로 보이는 놈도 잡았고, 빡빡이도 잡았고, 위조

지폐범도 잡았다.

그런데 왜일까.

아직 다 끝나지 않은 것 같은 미진한 느낌이 들었다.

* * *

"네, 과장님. 제가 방금 보낸 사체 DNA 검사 좀 최대한 빨리 해 주세요. 중요한 거라서요."

-우리 최 경감이 부탁하는 건데 당연히 최우선으로 해야지. 걱정 마. 늦어도 모레까지 해서 보내 줄게.

"감사합니다!"

본청의 복도, 국과수와 통화를 마친 종혁은 한숨을 내쉬었다.

놈들을 유치장에 처넣고, 지금 병원에 있는 장발 사내까지 해서 외사국에 신원 조회를 요청하고, 지금 국과수 감식 의뢰까지.

몸이 두 개라도 모자랐다.

공장을 싹 다 뒤졌지만 놈들의 신원을 밝힌 신분증이나 여권은 없었고, 있다고 한들 죄다 가짜였다.

'그나마 다행이라면 정문철의 신분증이 나왔다는 건데…….'

그 외에는 고급 원단 쪼가리나 특수한 종이만 발견됐다. 바랐던 위조지폐는 코빼기도 보이지 않았다.

일단은 의심이 가는 드럼통 속 잿더미나 쓰레기의 분석

을 의뢰한 상태였다.

'그 위조범이 들고 있던 본체를 디지털 포렌식 하는 게 빠를 테지만, 증거는 많을수록 좋지.'

보안 암호가 걸려 있던 본체. 포렌식으로 훑어봐야 알겠지만 예상이 맞다면 월척, 아니 고래가 낚일 터였다.

"흐흐. 이거면 내년에 있을 내 승진에 태클 걸 놈도 없겠……."

말을 하던 종혁은 맞은편에서 다가오는 검은 양복의 사내들을 발견하곤 입을 다물었다.

"오랜만입니다, 최 교관."

'그래, 너희가 남았었구나.'

왜 미진한가 싶었다.

국정원. 리동수가 찾아왔는데도 연락 한 번 없던 국정원이 남아 있었다.

종혁은 얼굴을 구겼다.

"48시간 뒤에 찾아오세요. 그때까지 그 새끼들은 내 소관입니다. 그사이에 영장 나오면 빠이빠이……."

"차장님께서 뵙고자 하십니다."

멈칫!

종혁은 자신이 들은 게 맞나는 듯 요원들을 봤지만, 그들은 할 말 다했다는 듯 웃을 뿐이었다.

"……엥?"

그길로 경찰청장실로 향한 종혁은 머리를 긁적였다.

대한민국 국정원의 국내 안보를 총괄 담당하는 차장, 정말 그가 와 있었다.

종혁은 눈을 껌뻑였다.

"와아, 그 위작 전문가가 대체 얼마나 큰 피해를 끼친 겁니까."

솔직히 정찰총국의 리동수가 찾아온 게 의문이긴 했다. 보통 이런 일은 보위국이 맡는 게 맞는데도 말이다.

하지만 알아보기가 귀찮아서 대충 넘겼는데, 무려 차장이 직접 걸음을 옮겼다.

놈이 북한에 엄청난 피해를 끼친 것이 분명했다.

"그놈 때문에 엿 먹은 놈이 정치국 후보위원의 아들이야. 그리고 놈 때문에 북한 외화벌이팀 중 하나가 공중분해됐고."

"아하."

그제야 모든 상황을 파악한 종혁은 고개를 끄덕였다.

'물질적인 게 아니라 인적 피해였구만?'

물론 물질적인 피해도 많을 것이다.

그리고…….

"순영 씨가 더 높은 곳으로 올라가려는 겁니까?"

"……숨길 생각이 없나?"

"다 아는 거 가지고 무슨."

차장의 맞은편에 앉은 종혁은 낯빛을 굳혔다.

"48시간 안에는 절대 안 됩니다. 영장이 나오면 손 떼시고요."

미행하고 있는 걸 뻔히 알고 있는데도 내색하지 않은 채 그저 지켜만 보다가 이제야 슬그머니 나타난 이유가 뭐겠는가. 알맹이만 쏙 빼먹으려는 것이다.

위조지폐범을 빼내 리동수에게 넘겨주는 것으로 위험한 북한 요원들도 한국에서 치우고, 남북 양국 간의 첩보 전쟁에서 유리한 고지에 서려고 하는 것일 터.

'아마 이번 북파공작원 송환 촉구 때문도 있겠지.'

북한으로 파견됐다가 잡힌 공작원들의 신원과 생사 여부가 확인되면서 공작원들의 가족들이 송환을 촉구하는 시위를 여는 중이다. 스크린 쿼터제 때문에 큰 주목은 받지 못하고 있지만 말이다.

대한민국의 국가 안보를 위해 모진 고초를 겪은 이들을 위한 일이지만, 그래도 배알이 꼴릴 수밖에 없었다.

'처음부터 협조를 구하면 좀 좋냐고.'

"사과하지. 우리 때문에 최 경감 팀원이 죽을 뻔한 것까지."

쿵!

순간 충격을 받은 종혁은 눈을 가늘게 떴다.

"뭔 꿍꿍이십니까?"

"진심이야."

그렇게 말하며 더 고개를 숙인다.

"……돌겠네."

진심만이 담긴 차장의 눈에 앓는 소리를 낸 종혁은 이 택문을 봤다.

"청장님은 어떻게 생각하십니까?"

이택문은 대답 대신 책상에 놓인 '대한민국 경찰청 경찰청장 이택문'이라는 명패를 가리켰다.

종혁은 머리를 벅벅 긁었다.

"하아. 참고로 말씀드리는 건데 리 조장을 도운 건 태국 때 저를 도와줬기 때문에 신세를 갚은 겁니다."

"아무렴."

혀를 찬 종혁은 이택문을 봤다.

"저희 과장님 불러 주십시오."

"정용진 과장을?"

* * *

경찰청장실 옆 작은 회의실.

"왕왕!"

덕자와 함께 온 정용진 과장이 푸근히 듯 웃는다.

"난 분명 조선족 실태 조사를 하라고 출장을 승인한 건데요."

"아하하."

정용진의 미소는 더욱 짙어졌다. 조선족 실태 조사를 하라고 보내 놨는데 뜬금없이 패싸움을 벌인 조선족들을, 그것도 살인 사건에 연관된 조선족 깡패들을 잡아들였다.

솔직히 여기까지는 예상 범주 안이다. 아니, 기대 이상으로 해 줬다.

'역시 최 팀장이라고 할 수 있었지.'

그런데 문제는 이택문의 전화를 받게 만들었다는 것이다. 그것도 정보국에 남겨 둔 끈이 알려 주길 국정원 차장과 함께 있다는 이택문에게 말이다.

정용진은 미소를 지우며 종혁을 응시했다.

"뭡니까?"

무려 경찰청장이 일개 과장을 올라오게 만든 이유.

국정원 국내파트 차장이 경찰청장을 찾은 이유.

'이번엔 어떤 사고를 친 겁니까, 최 팀장.'

정용진의 눈빛이 깊어졌다.

종혁은 그런 그에게 5천 원권 지폐들이 든 증거물 봉투를 내밀었다.

"이걸 왜……."

"위조지폐입니다."

"……!"

언제나 여유롭던 정용진의 표정이 순식간에 경직된다.

정부가 신권 발매를 앞당겼을 정도로 검경을 괴롭혔던 5천 원권 위조지폐.

정용진은 뚫어져라 위조지폐를 응시했다.

"북한에 큰 피해를 끼치고 도망친 범죄자를 잡기 위해 파견된 정찰총국 조장 리동수가 차린 게임센터에서 흘러나온 겁니다. 지문 대조 결과가 나와 봐야 알 테지만, 오늘 잡은 놈들이 쓴 걸로 추정됩니다. 아니, 놈들이 제작한 걸로 추정됩니다."

쿠웅!

머리에 크고 둔중한 충격을 울린다.

하지만 그것도 잠시다. 단숨에 상황을 파악한 정용진은 고개를 모로 기울였다.

"왜 내게 이 말을 하는 겁니까? 최 팀장이 단독으로 진행해도 됐을 일인데요."

경찰청장과 함께 있던 종혁이다. 정용진 본인을 배제하고 사건을 진행시켜도 할 말이 없었다.

"그럼 과장님은 왜 일제 단속을 허락하셨습니까?"

"……."

종혁은 미소를 지었다.

"그런 겁니다."

'이 여우 같은 양반아.'

역시 다 눈치채고 있었다.

아니, 다는 아니지만 뭔가 있다는 걸 눈치챘던 게 분명했다. 그럼에도 태연히 모른 척을 했던 것이다.

이는 그것에 대한 보답이었다.

그 뜻을 알아들은 정용진은 어이없다는 듯 웃다가 다시 평소와 똑같은 미소를 그렸다.

"자세한 사정은 나중에 듣기로 하죠. 더 급한 게 있으니까요."

경찰청장을 만나는 일이었다.

* * *

"음."

언제나 과묵하던 이택문의 표정이 크게 흔들린다.

그건 국정원 차장도 마찬가지였다.

"혹시나 싶어 살짝 뜯어본 결과 신권 발매를 앞당겼던 그 77246 위조지폐와 같은 방식의, 아니 한 단계 진보한 위조지폐입니다. 여기 과장님의 도움이 아니었다면 발견하지 못했을 겁니다."

국정원 차장은 어이없다는 듯 웃으며 담배를 물었고, 이택문은 뚱한 얼굴로 종혁과 정용진을 봤다.

"정 과장의 도움?"

"예."

"……그래. 그렇게 넘어가지."

공을 넘기려는 게 눈에 빤히 보였지만, 이택문은 넘어가기로 했다. 지금은 그게 중요한 게 아니었으니 말이다.

"그래서?"

"현재 놈들의 원판 파일이 들어 있는 걸로 추정이 되는 컴퓨터 본체를 확보, 포렌식을 의뢰했습니다."

"지폐는?"

"세 장이 전부입니다."

"이미 시중에 풀렸을 확률이 크다 소리군."

"예."

공장에서 지폐가 단 한 장도 발견되지 않았고, 그에 주변 CCTV를 확보했지만 아직 검토조차 못한 상황이었다.

그런 종혁의 말에 혀를 찬 이택문은 차장을 봤다.

“이거 아무래도 넘길 때까지 시간 좀 걸릴 것 같습니다, 차장님.”

국정원이 뭔가. 온전히 경찰의 공으로 만들자면 검찰에게도 입을 다물어야 되는 상황이다.

“청장님!”

“국정원에서 통제할 수 있겠습니까?”

위조지폐가 시중에 풀렸을 때의 상황 통제.

“……쯧. 차 잘 마셨습니다.”

혀를 찬 차장은 경찰청장실을 빠져나갔고, 이택문은 종혁을 봤다.

“모든 게 최우선적으로 처리될 거야.”

경찰청장의 이름으로 말이다.

“충성.”

이래서 말이 통하는 상관은 편했다.

씩 웃은 종혁은 몸을 일으켰다.

그때였다. 여태껏 미소만 지은 채 침묵하고 있던 정용진이 입을 열었다.

“그런데 최 팀장.”

“예?”

“혹시 그쪽 경찰에 밉보인 게 있습니까?”

종혁은 고개를 모로 기울였고, 정용진은 이택문을 봤다.

“잠시 컴퓨터를 써도 되겠습니까?”
“……그러지.”
몸을 일으킨 정용진은 책상으로 걸어가 모니터를 돌려 포털사이트에 접속했다.

한낮의 패싸움?
고작 의견 다툼을 과잉 진압한 경찰. 조선족은 운다.
조선 동포 정착을 장려하는 정부, 동포를 때려 패는 경찰?

“아, 씨발.”
이택문의 표정도 딱딱하게 굳는다.
고작 1시간이 채 지나기도 전에 일어난 일이 기사로 떴다. 그것도 정부 정책까지 걸고넘어지면서 말이다.
“이건 또 뭔데.”
정용진은 종혁과 이택문을 보며 턱자를 쓰다듬었다.
“아무래도 놈들이 잡히면 안 되는 사람이 있는 것 같습니다. 그것도 우리 경찰 조직 내에 말입니다.”
그게 아니라면 이렇게 빨리 이렇게까지 날조된 기사가 나올 수 있을까.
심지어 기사가 올라온 건 무려 30분 전이다. 종혁이 본청에 도착도 하지 않은 시간이었다.
정용진은 싸늘히 웃었다.
“청장님과 최 팀장 생각은 어떻습니까?”

종혁은 동감이라는 듯 마른세수를 했다.

아무래도 어딘가 미친했던 건 국정원이 아니라 이것 때문인 것 같았다. 이제 놈들만 추궁하고 위조지폐만 회수하면 되는 이번 사건, 다 끝난 게 아니라 이제부터 시작인 것 같았다.

'지랄 맞다, 진짜.'

한편 종혁이 마련해 준 은신처에 도착한 정찰총국 요원들의 표정이 썩 좋지 못하다. 뒤통수를 맞았으니 당연했다.

"그 간나 새끼! 꼭 좌우 갈비뼈를 혁명적으로 바꿔 주갔어."

씩씩거리는 리동수를 힐끔 본 요원들은 입맛을 다셨다.

어디 첩보 전쟁에서 뒤통수 맞는 일이 한두 번인가. 이 정도는 웃으며 넘길 수 있는 애교 수준이었다.

"이렇게 되면 그 공장을 감시하던 놈들이 있단 걸 말 안 해도 되갔디?"

"흥. 당연한 거 아니갔네?"

자신들을 감시하는 국정원과 종혁을 감시하는 다른 세력에 신경이 쏠려서 하마터면 모르고 지나칠 뻔한 차량이 한 대 있었다.

놈들이 감시하던 대상이 자신들이 아니었기에 더욱 그랬다.

언제부터 있었는지 모르지만 대기하고 있다가 아침 일찍 나서는 양탁락을 슬그머니 미행한 차량.

아마 종혁이 뒤통수를 치지 않았다면 이 부분에 대해 말을 했을 것이다.

"도망친 놈이 하나 있다는 것도?"

사이렌이 울리자 공장 담을 넘어 도망친 겁쟁이도 하나 있었다.

"당연한 말 아니갔네?"

"너희가 우물가 애미나이들이네? 가서 비비빅이나 가져오라!"

목을 움츠린 정찰총국 요원들은 슬그머니 몸을 일으켰다.

"……태국에서 이번까지 몇 대 몇이가?"

"몇 대 몇은. 계속 졌디. 그러고 보믄 최 동무 아가리가 참 지옥의 아가리야. 물에 빠지믄 그 아가리만 동동 뜰 기야."

"동감이디."

"뭐하네!"

몸을 움츠린 그들은 얼른 부엌으로 향했다.

* * *

-일단 시간은 벌어 놨어.

"하하, 수고하셨습니다. 못난 저희 때문에 팀장님이 수고하십니다."

습하고 비릿한 냄새가 가득한 지하실, 장발 사내와 거래를 했던 박 사장이란 자가 통화를 하며 웃고 있다.

-그보다 놈들 공장은 파악했어?

그 말에 박 사장은 지하실 한구석을 힐끔 봤다.

그곳엔 피투성이가 된 사내 한 명이 의자에 묶여 있었다.

"끄으으. 난 모른다. 정말……."

경찰이 출동하자 공장에서 도망친 겁쟁이 놈.

무려 위조지폐다. 감시를 하지 않을 리가 없었다.

그런데 고문을 좀 하다 보니 이놈이 대박이었다. 위조지폐를 만들던 과정을 싹 다 지켜본 놈이었다.

"걱정 마십시오. 곧 찾게 될 겁니다. 지폐도."

거의 S급인 짝퉁 가방과 마약. 최소한 마약 입수 루트만 찾아도 자신들의 조직은 더욱 커지게 될 것이다. 위조지폐는 말할 것도 없다.

-당장 공장 옮기고 흔적 지워. 너희가 들통나면 골치 아파지니까.

"어이구, 알겠습니다. 예. 조심히 들어가십시오, 주 팀장님!"

통화를 끊은 박 사장은 핸드폰을 보다 침을 뱉었다.

"카악, 퉤! 좆같은 짭새 새끼."

의자에 묶인 사내에게 걸어간 박 사장은 푸근히 웃었다.

"어때, 이제 말할 마음 좀 생겨? 들었다시피 이제 너희 조직에서 남은 놈은 너랑 너희가 숨겨 놓은 공장에 남은 놈들뿐이야. 그냥 위치 말하고 부모님 계시는 고향에 가서 떵떵거리며 사는 게 낫지 않겠어?"

흠칫!

"……저, 정말 모릅다. 진짜입다."

"어휴. 그 의자에 앉는 놈들은 왜 맨날 사람을 이렇게 나쁘게 만드는지 모르겠다. 결국 말하게 될 텐데 말이야."

고개를 저은 박 사장은 사내 주위에 있는 부하들에게 턱짓을 하곤 몸을 돌렸고, 그에 사내는 하얗게 질렸다.

"자, 잠깐…… 끄아아아아악!"

지하실 문을 닫은 박 사장은 다시 핸드폰을 들었다.

"어. 가구 공장 이사할 준비해. 짭새들이 냄새 맡았다."

* * *

"정말 지랄 맞네."

중국 공안에 신원 조회를 요청했더니 신변을 넘기라는 공문이 날아왔다.

'니들은 또 왜 끼어드는데…….'

-예? 뭐라고 했습니까?

"아닙니다. 과장님께 말한 게 아닙니다."

멀리 떨어트려 놓았던 핸드폰을 귀에 댄 종혁에게 정용

진이 입을 열었다.

–흐음. 아무튼 시간 없습니다. 난 최 팀장이 잘 해낼 거라 믿습니다.

"하아. 예."

전화를 끊은 종혁은 머리를 벅벅 긁었다.

"씨발. 확 다 엎어 버릴 수도 없고."

하지만 이런 중국의 작태가 나쁘지 않다.

오히려 지금 상황에선 좋았다. 이 공문이 장발 사내를 압박할 수단이 될 테니까.

피식 웃은 종혁은 취조실의 문을 열고 들어갔다.

"뼈는 잘 붙었어?"

"이 자라 같은 새끼!"

차락!

마치 정신병원에 감금된 사람처럼 구속복을 찬 채 종혁을 죽일 듯 노려보는 장발 사내.

들어 보니 마취에서 깨어나자마자 자해를 하며 도주를 꾀하려고 했다고 한다.

종혁은 들고 온 서류를 책상에 던지며 담배를 물었다.

"대체 중국에서 뭔 사고를 얼마나 크게 친 거냐? 중국 공안이 아주 널 넘겨 달라고 난리다?"

움찔!

장발 사내의 얼굴이 하얗게 물들자 종혁은 그의 옆에 앉아 고개를 푹 숙이는 조동철을 봤다.

"그쪽은 북한에서 넘겨 달라고 지랄이고."

"헉?!"

"알아보니까 공장을 습격했던 놈들이 정찰총국 요원이래."

조동철은 숫제 숨이 넘어갈 만큼 낯빛이 검게 질렸다.

"자, 그럼 시작합시다."

종혁은 장발 사내를 봤다.

"이름 티엔쉔, 천신. 어이구, 이름 멋지네. 나이 33세. 헤이룽장성 흑룡파의 중간 간부로 살인, 살인 교사, 시체 훼손 및 유기, 인신매매…… 하!"

더 이상 입에 담기도 역겨운 수준.

"이러니 중국 공안에서 넘겨 달라고 지랄을 떤 거네. 야, 내가 중국법에 대해 잘 몰라서 그런데 이 정도면 무조건 사형 아니냐?"

"……난 한국에서 아무런 죄도 짓지 않았소."

갑자기 고분고분해지는 모습을 보니 헛웃음만 나왔다.

"내가 패싸움 벌이는 거 봤는데? 너희 공장에서 시체가 나왔는데?"

"내가 한 거 아니오. 내 몸, 옷을 보오. 피가 있나. 그리고 시체는 우리 애들이 시키지도 않은 짓을 한 것임이 틀림없소."

"여권도 위조하셨고."

"난 출생 신고가 되지 않은 놈이오. 한국에 오기 위해 어쩔 수 없었소."

"내 새끼 허벅지랑 모가지에 칼빵 놓은 건 무서워서 그랬다고 할 테고?"

"……그렇소."

"이야, 연습했냐?"

사람이 뻔뻔해도 이렇게 뻔뻔할 수 있을까.

종혁은 위조지폐가 담긴 증거물 봉투를 내밀었다.

"이건 어떻게 설명할 건데? 참고로 총 세 장이었는데, 지문 대조를 해 보니까 너희 애들 지문이랑 일치했다."

위조지폐 3장이 나왔는데 공교롭게도 출처가 한 장소다.

"우연이오."

"큭큭. 야, 여기선 우연이라고 말할 게 아니라 이게 뭐냐고 물어봐야 하는 거야. 내가 이게 위조지폐라고 말했냐?"

장발 사내의 눈이 크게 흔들린다.

"……우연이오."

"아, 그러세요."

종혁은 책상 위에 놓인 내선전화기를 들어 오택수에게 전화를 걸었다.

–예. 본청 간편신고관리과 특별 수사 1팀…….

"접니다, 오 경감님."

–타이밍 좋네.

"정문철 집에서 뭐 좀 나왔나 보네요?"

–나왔다 뿐이겠냐? 월척이 걸렸지! 이 새끼가 위조지폐를 만들었다는 증거가 컴퓨터 안에 고스란히 다 있다!

"예, 감사합니다. 계속 수고해 주세요."

통화를 종료한 종혁은 티엔쉔을 봤다.

"이 정문철이란 놈은 누구냐면, 너희 공장에서 발견 된 시체의 이름이야. 위조지폐범이 너희 공장에서 시체로 발견됐는데, 너희 패거리 놈들이 위조지폐를 썼어. 이것도 우연이냐?"

"애들이 죽이기 전에 돈을 뺏었나……."

"야."

움찔!

"야, 이 개새끼야."

종혁은 이쪽을 놀라 쳐다보는 티엔쉔을 보며 이를 드러냈다.

"네가 지금 믿는 게 보안을 걸어 놓은 컴퓨터 본체 때문인 것 같은데…… 혹시 디지털 포렌식이라고 들어는 봤니? 암호 따윈 그냥 씹어 먹는 최첨단 수사의 결정체인데. 그리고 너 프린터에도 인쇄를 얼마나 했나 표시되는지 모르지?"

"이……! 이……! 이 자라 같은 새끼가! 감히 날 놀려?! 으아아아아!"

피식 웃은 종혁은 몸을 일으켜 그를 걷어찼다. 그리고 넘어진 놈의 머리채를 잡아 주욱 끌어 올렸다.

뿌득, 뿌드득!

일어선 종혁과 같은 눈높이로 끌어 올려지면서 비명을 지르는 티엔쉔의 머리.

“아악! 아아악!”

“씨발 새끼야. 내가 너 따위랑 이렇게 농담 따먹기를 한 이유는 하나야.”

무려 150만 장이 넘는다. 공장에서 압수한 수십 개 프린터가 토해 낸 종이의 숫자가.

한 장에 그림 두 개씩. 3개의 그림이 하나의 지폐를 이루는 것을 생각하면 50억 상당의 위조지폐가 제작된 것이다.

이게 확인된 순간 본청이 뒤집어졌다.

“이거 어디다 숨겼어. 아니면…… 너 설마 다른 놈에게 넘겼냐?”

흠칫!

‘미치겠네.’

“크으으윽!”

죽일 듯 노려보는 티엔쉔의 두 눈에 종혁은 고개를 끄덕였다.

“그래, 넌 기회 사라졌다. 그냥 중국 가서 뒤져라.”

웬만하면 한국에서 처벌받게 하고 싶어서 중국 공안을 언급하며 압박을 줬는데, 그냥 이런 놈은 중국이 더 나을 듯싶었다.

부웅, 쿠당탕!

“크어억!”

티엔쉔을 취조실 구석으로 던져 버린 종혁은 바들바들 떨면서도 눈알을 이리저리 굴리는 조동철을 봤다.

"풋. 야, 너 지금 위조지폐 제작 노하우를 가지고 북에 송환되면 살 수 있을 거라 생각하냐?"

움찔!

"미안하지만 이거 이미 청와대에 보고된 사안이야. 조만간 구권 5천 원 지폐는 거래 중지, 무조건 은행에서만 교환해야 돼. 해외에서도 마찬가지고."

해외를 통해 들어온 구권 5천 원권이 위조지폐일 때 한국은 이를 책임지지 않는다는 외교적 협의가 이뤄지고 있다.

"흡!"

"네가 조금이라도 더 명줄을 붙일 수 있는 길은 하나야."

남과 북이 합의점을 찾을 때까지 국정원 안가에서 머물다가 북으로 송환이 될 거냐, 아니면 이대로 끌려가 처형을 당할 거냐.

선택권은 딱 이 두 가지밖에 없었다.

"참고로 너희가 안 불어도 상관없어."

본청 정보국에서 주변 CCTV를 모두 뒤지고 있다. 이들의 동선을 파악하는 건 시간문제였다.

물론 이 시간이 너무 중요해서 문제지만 말이다.

시간을 지체하다가 위조지폐가 시중에 풀린다면?

검찰에 알리지 않은 괘씸죄로 검찰부터 경찰을 물어뜯을 것이다. 언론이나 정부는 말할 것도 없다.

"……인천에 박 사장이란 사람이 있습니다."

"오?"

"야, 이 개새끼야-! 입 다물어라! 안 다무니!"

종혁은 바닥에서 꿈틀거리는 티엔쉔의 입에 상의를 벗어 구겨 넣었다.

그리고 조동철에게 담배를 내밀었다.

"그래서? 그 박 사장이란 놈은 어디에 사는데? 연락처는?"

종혁의 눈이 초롱초롱 빛냈다.

하지만 그것도 잠시였다.

"짝퉁 가방?"

"예. 동대문과 남대문에서 원단을 교환한 후 인천에 있는 공장에서 1차 제작을 합네다. 그리고 저희 공장에서 마무리를 하고……."

'아니, 이건 또 왜 튀어나오는 거냐.'

그런데 이것뿐만이 아니다.

"그럼 마약 운반책들은?"

"읍! 으으읍!"

종혁은 슬그머니 티엔쉔을 가려 줬다.

"사, 삼 일 뒤에 한국에 들어올 겁네다. 장애인으로 위장해서."

"……진짜 알뜰살뜰하다."

심지어 능력도 좋다. 이 모든 걸 고작 8개월 만에 해냈으니 말이다.

"얼굴 알아볼 수 있지?"

"그, 그렇습네다."

"오케이."

종혁은 취조실에 붙어 있는 커다란 거울유리를 보며 손을 저었고, 이내 경찰 몇 명이 취조실의 문을 열고 들어왔다.

그들을 뒤로하며 밖으로 나온 종혁은 핸드폰을 들었다.

"예, 2팀장님. 혹시 화연원단과 천주원단, 대호공방이라고 아세요?"

—……씨부럴. 그 이름이 우째 1팀장의 입에서 나온디야?

"인천에서 봅시다."

전화를 끊은 종혁은 정용진에게 전화를 걸었다.

"예, 과장님. 중국 공안은 무시해도 될 것 같습니다. 이 놈들 중국에서 마약도 들여온답니다."

종혁은 통화를 하며 압수물 보관소로 향했다.

티엔쉔의 지갑과 핸드폰에 박 사장에 대한 단서가 있었다.

* * *

'그렇게 날아오긴 했는데…….'

반짝반짝!

박 사장이란 놈의 가구 공장에 경찰이 먼저 와서 빨갛고 파란 불빛을 번쩍이고 있다.

그뿐만 아니라 형사와 경찰들이 웅성거리고 있다.

"이건 또 뭐냐……."

“인마들 튄 것 같은디?”

“예. 저도 그렇게 보이네요.”

‘아아, 씨발!’

솟구친 짜증을 이기지 못해 머리를 벅벅 긁으며 잠복용으로 끌고 온 차에서 내린 종혁은 폴리스라인을 넘었다.

“어어? 여기 함부로 들어오시면…….”

“본청 특별수사팀 최종혁 경감입니다.”

“추, 충성!”

“담당자는 어디 있습니까?”

종혁은 딱딱하게 굳은 경찰이 가리키는 사람에게로 향했다.

딱 봐도 형사반장으로 보이는 사십대의 중년인.

“충성. 본청 간편신고관리과 특별수사 1팀 최종혁 경감입니다.”

“어이구. 젊은데 능력 좋으시네. 본청에서 여기까진 무슨 일로?”

“이 가구 공장의 주인에게 중대한 범죄의 정황이 발견돼서 잡으러 왔는데…… 공장이 불타 버렸네요?”

아주 깔끔하게 타 버렸다. 주위에 화재가 번지지 않은 게 용할 정도로 말이다.

“오, 우연이네. 우리도 그래서 왔는데 골치가 아프게 됐어. 이후 내가 할 말이 뭔지는 알지? 설마 사수가 그런 것도 안 가르쳤으려고.”

“본청 일입니다만?”

"남의 구역에 와서 감 놔라, 배 놔라 하면 안 좋아."

"……명함이나 교환하시죠. 저를 가르친 사수께서 그랬거든요. 언제 수사 협조를 구할지 모르니 만나는 형사마다 명함을 교환하라고요."

"크, 잘 가르쳤네. 자."

명함을 교환한 종혁은 거수경례를 하고 돌아섰다. 그런 그의 눈빛은 서늘해져 있었다.

종혁은 다가오는 김판호에게 고개를 저었다.

"텄어요."

"그럼 CCTV는……."

"보여 줄 리가 없죠."

아마 근처 CCTV부터 싹 다 수거했을 것이다. 아니, 증거물 관리에 실수가 있었다면서 싹 다 없앴을 것이다.

이런 상황에서 위조지폐에 대해 말했다고 한들 씨알이나 먹힐까. 어차피 증거물 관리 소홀에 관한 경위서나 소소한 징계만 받고 끝날 거다.

'히야, 이렇게 나오시겠다?'

생각보다 더 큰 거물이 얽혔다.

"그럼……."

"이, 기야죠."

화연원단과 천주원단, 대호공방. 현재 김판호 팀장이 이미테이션 물품을 제작, 유통하는 조직으로 판단되는 곳들을 합법적으로 쳐들어갈 수 있는 단서인 티엔쉔의 인천 공장.

종혁은 그곳에서 나오는 정보를 공유하는 대신 박 사장 검거에 도움을 달라 협조 요청을 했던 것이다.

“가시죠.”

“거시기 이런 말을 해도 괜찮을까 모르겄는디……. 괜찮어?”

“괜찮아요.”

어디 괜찮다 뿐일까. 이렇게 알아서 꼬리를 드러내 줘서 너무 고마웠다.

“정말 괜찮습니다.”

‘이게 청장님이 지휘하는 사건임을 알았어도 이렇게 장난을 쳤을까?’

종혁은 입술을 비틀며 차에 올랐다.

한편 멀어지는 차량들을 보던 반장은 핸드폰을 들어 누군가에게로 전화를 걸었다.

“어, 나야. 네가 말한 놈 왔다. 응. 그래, 여긴 걱정 마. 됐어, 인마. 내가 너한테 받은 게 얼만데. 그래, 수고해라.”

전화를 끊은 반장은 이쪽을 보는 시선들에 손을 저었다.

“뭣들 해. 뭐 나오는 것도 없는데 그냥 철수하자!”

“예!”

* * *

놈들의 인천 공장을 급습해 기술자 6명을 검거하고, 거기에서 쓰인 원단이 화연원단과 천주원단, 대호공방에서 나온 것임을 밝혀낸 종혁은 김판호 팀장과 헤어져 다시 본청으로 복귀했다.

"뭐야? 왜 벌써 와?"

이제 막 정문철에 대한 서류를 작성하던 오택수는 눈을 동그랗게 떴고, 종혁은 사정을 설명했다.

"……인천 쪽을 거친 놈이 배후인 것 같은데?"

"저도 그렇게 생각합니다."

현재 인천에 있거나 인천을 거쳐 본청에 온 경찰 간부. 이들 전원이 의심의 대상이었다.

일단 정용진에게 부탁해서 그 반장과 연관이 있는 경찰 간부를 알아보는 중이었다.

"그보다 재수는요? 좀 어때요?"

"어떻긴. 아침에도 밥을 두 공기나 처먹더라."

"다행이네요."

수술대에서 내려오는 건 봤지만, 명색이 팀장인데 함께 있어 주지 못해서 미안했다.

"됐어. 전화했잖아. 상황 모르는 것도 아니고. 네가 VIP병실 잡아 주니까 아주 좋아 죽더라. 심지어 옆 병실에 입원한 환자 딸내미에게 작업도 걸더라."

"그 다리로요? 힘주면 안 될 텐데?"

"휠체어 타고. 안 그래도 그래서 화장실에 처박아 뒀다."

종혁은 엄지를 치켜세웠다.

"흠. 오르지 못할 나무는 쳐다보는 게 아닌데……."

고개를 저으며 책상의 컴퓨터를 켠 종혁은 어젯밤 그 동네를 찍은 CCTV 영상을 찾기 시작했다.

그사이 오택수는 커피를 타 왔다.

"그나저나 골치 아프게 됐네."

현재 박 사장이란 놈을 찾을 단서라곤 티엔쉔의 공장을 빠져나간 차량을 추적하는 것뿐이다.

그러나 문제는 그 공장이 위치한 골목 입구를 비추는 CCTV가 없다는 점이다.

"후. 뭐 어떻게든 해 봐야죠. 그래도 다행인 점도 있으니까."

골목 입구를 비추는 CCTV는 없지만, 그 근처를 비추는 CCTV는 있었다. 좌우 양쪽으로 있기에 동시간대에 두 CCTV에 동시에 찍히지 않은 차량을 찾으면 됐다.

"시간이 짧잖아요."

"그래. 그건 진짜 다행이지."

9시 5분부터 9시 30분 사이.

티엔쉔 패거리가 공장에서 출발한 시각이다.

"그럼 재생합니다. 체크해 주세요."

일단 빠르게 재생시키며 그 시간대에 근처 CCTV에 잡힌 차량만 추린 종혁은 한숨을 내쉬었다.

'끄응. 열 대네.'

"잘 받아 적으세요. 오늘 안에 싹 돌아야 하니까."

박 사장이 자취를 감췄기에 1분 1초가 급박한 상황이다.

"오케이."

종혁은 오택수가 펜을 들자 다시 영상을 재생시켰다.

"경기 자 55……."

"5584요."

"어, 그래. 서울 도 8736? 8735. 그리고…… 인천 나……."

다음으로 화면에 나타나는 차량의 번호판에 고개를 모로 기울였던 오택수는 순간 뒤통수를 후려치며 떠오른 기억에 눈을 부릅떴다.

"어?"

"왜 그러세요?"

"야, 잠깐. 잠깐 멈춰봐."

"왜 그러시는데요?"

"아, 멈춰 보라고! 그래, 그거! 인천 나 4886! 사, 사진! 어제 검거한 놈들 사진 어디 있어!"

종혁은 뭔가 냄새를 맡은 것 같은 오택수의 모습에 다급히 놈들의 사진을 찾아 모니터에 띄웠다.

오택수는 느릿하게 넘어가는 사진 중 하나를 다급히 가리켰다.

"저 새끼! 40대 중반, 왼쪽 턱에 점!"

"장푸젠?"

조동철이 말한 놈들의 기술자 중 한 명이었다.

"그래! 나 저 새끼 봤어! 그때 나 미행할 때, 아 왜 연복이네 식당에서 정문철과 함께 있던 놈들 미행할 때 말이야! 그리고 그저께 일제 단속 때도 저 차가 골목에서 나오는 것도! 시간은 9시 23분에서 25분 사이!"
"……씨발!"
아직 소유주 확인조차 되지 않는 상황이라서 확신은 할 수 없다. 어쩌면 그저 우연히 그 자리에 있던 것일 수도 있다.
'하지만 이걸 단순히 우연이라고 치부할 수 있을까?'
그렇다면 형사를 관둬야 했다.
종혁은 다급히 핸드폰을 들었다.
"예, 특별수사 1팀장 최종혁입니다. 차량 좀 수배 좀 하고 싶은데요! 인천 나 4886. 흰색 탑차! 그젯밤 저녁 9시 23분에서 30분 사이 가리봉동 조선족 밀집 구역에서 빠져나갔을 겁니다!"
"남부순환로 방향으로 빠져나갔어!"
"……남부순환로 방향입니다!"
종혁은 흥분해 외치며 오택수를 향해 주먹을 흔들어 줬다.
장님이 문고리를 잡았다.
'박 사장, 이 개새끼…….'
이제 놈을 잡는 건 시간문제였다.
뒤에서 일을 이렇게까지 복잡하게 만든 놈도 말이다.

(회귀 경찰의 리셋 라이프 13권에서 계속)